Graded Chinese Reader 2
Selected Abridged Chinese Contemporary Short Stories

汉语分级阅读 2

史 迹 编著

华语教学出版社
SINOLINGUA

First Edition 2007

ISBN 978-7-80200-375-0

Copyright 2007 by Sinolingua

Published by Sinolingua

24 Baiwanzhuang Road, Beijing 100037, China

TEL: (86)10-68320585

FAX: (86)10-68326333

http://www.sinolingua.com.cn

E-mail: hyjx@sinolingua.com.cn

Printed by Beijing Foreign Languages Printing House

Distributed by China International Book Trading Corporation

35 Chegongzhuang Xilu, P.O. Box 399

Beijing 100044, China

目录
Contents

Preface

It is well-known that reading practice is an effective method to improve one's proficiency in a foreign language. For students of Chinese as a foreign language, learning how to read Chinese is an essential and necessary process for getting familiar with Chinese words. However, to become effectively literate, one needs to have a command of about 3000 to 5000 Chinese words. For students of Chinese as a foreign language, getting acquainted with such a large Chinese vocabulary is quite a heavy burden. But students are eager to read in Chinese, even with their limited Chinese vocabulary. The author once taught Chinese in the Chinese Department of Venice University and found that the students needed some simple Chinese materials to improve their reading ability. The *Graded Chinese Reader Series* contains such abridged books designed for students of Chinese as a foreign language. The main purpose of the series is to help students improve their reading comprehension. *Graded Chinese Reader Series* can be useful both in and out of the classroom.

Clarity, readability and language practicability are characteristics of the selected short stories. Some are prize-winning works. The stories describe Chinese people's lives and various social changes that have happened in the last twenty years in China. Therefore, students of Chinese as a foreign language can gain a better knowledge of the everyday life of Chinese people through some literary works by important contemporary Chinese writers. In order to help readers have a good comprehension of these works, there is "Guide to reading" before each story, and after each reading there are some questions based on the stories as well as a brief introduction to the writers.

The vocabulary of *Graded Chinese Reader 2* is limited to about 3000 Chinese words. This is based on the 1033 Chinese words defined as basic vocabulary in the Level A (甲级词汇) of the Chinese Proficiency Test (汉语水平考试, HSK), together with 2018 Chinese words from the Level B of HSK basic vocabulary (乙级词汇).

In *Graded Chinese Reader 2*, the most common words are used, and appear frequently for students to memorize. In the book, Chinese sentences are reasonably short, and complex sentences are avoided. In some cases different sentences are used to paraphrase more difficult sentences for clarification. *Pinyin* is given to each individual character so that students can review and memorize pronunciations of Chinese words and look them up in a dictionary by themselves. In each story, for some key words, difficult words, idioms and difficult sentences, notes and examples are given at the side of each page. Notes are unique to each story so readers can choose any story to begin to read without turning to the notes in other stories. In order to improve listening comprehension of students of Chinese as a foreign language, CDs in mp3 format are attached to each book. In addition, the stories are illustrated with pictures, which can help students understand the stories better. In summary, the aims of *Chinese Graded Reader Series* are to reduce the difficulty in reading Chinese, to enlarge the readers' vocabulary, and to improve Chinese reading and listening ability.

The author would like to thank the College of Foreign Languages of Southwest Jiaotong University and Sinolingua for their sincere support, Professor Abbiati Magdar of the Chinese Department of Venice University for her precious ideas when I prepared for the book , all the Chinese contemporary writers for their permission to adapt their works in the book, editor Fu Mei for her constructive suggestions and her sincere help, my friends Peter Moon and Pat Burrows for their suggestions and proofreading of the English part of the book. I would like to thank all of the people who helped me directly or indirectly in the development of this book.

Chinese Graded Reader Series is subsidized by the publishing funds of Southwest Jiaotong University.

Constructive suggestions on *Graded Chinese Reader Series* from colleagues and students of Chinese as a foreign language are sincerely welcome. We hope that this series is helpful to CFL students and readers.

The anthor can be contacted at: shiji0612@126.com

Shi Ji

前　言

　　任何一门外语的学习,都离不开阅读。通过阅读提高语言水平历来是一个广为接受的、有效的语言学习途径。基础汉字、语法、词汇是汉语阅读的基础,阅读是对基础语言知识的强化。通常情况下，要读懂一般的汉语材料，外国学生需要掌握3000~5000个汉语常用词汇。然而,汉语为外语的学生要掌握这么多的汉语词汇难度相当大。再加上文化背景不同,外国学生阅读汉语小说更是有着难以想象的困难。但是学生们却渴望用他们有限的词汇进行汉语阅读。本人在威尼斯大学中文系任教期间，了解到外国学生很需要这方面的阅读材料。"汉语分级阅读"系列就是针对外国学生学习汉语的需要,将一些中国当代作家的中短篇小说分别简写成汉语2000词和汉语3000词的简写本。其主要目的是提高汉语学习者的汉语阅读能力。"汉语分级阅读"既可以作为课堂的汉语阅读教材,也可作为课外的汉语泛读材料。

　　"汉语分级阅读"所选的故事都是中国当代作家的中短篇小说，有些是获奖作品。所选作品重点突出了作品的可读性和语言的实用性。通过阅读，学生不仅可以了解现在中国人们的生活,了解最近二十年发生的各种社会变化,还可以了解一些中国的当代作家。为让学生充分理解故事内涵,在阅读之前有英文的"阅读指导",阅读之后有思考题和英文的作家介绍。

"汉语分级阅读"现推出第二册"中国当代短篇小说选·HSK汉语 3000 词简写本"。《汉语分级阅读 2》的词汇量限制在 3000个词左右,所用词汇主要参照《中国汉语水平考试(HSK)大纲》中的甲级词 1033 个和乙级词 2018 个。为方便汉语初学者,《汉语分级阅读 2》尽量使用常用词,并增加常用词的复现率,以此增强学生对汉语常用词的理解与记忆。为增强学生对句子的理解,句子力求简短,结构完整。本书对故事中的一些难词、关键词、需要注解的词和句子都给出注解,对一些常用词给出了例句,以便学生更好地理解生词。注释都是以单篇故事为主,以便学生选读某一篇故事而不受其他故事注释的影响。故事正文均采用单字注音方式配拼音,使学生尽可能地通过读音联想词义和查阅词典。为提高学生的汉语听力水平,本书配有 mp3 格式的光盘。除此之外,每篇故事还配有插图,以帮助学生更直观地了解故事内容。"汉语分级阅读"的编写宗旨是降低汉语阅读的难度,让学生在汉语阅读中巩固和增加汉语常用词汇,提高汉语阅读和汉语听力水平。

在"汉语分级阅读"的编写过程中,我得到很多人的帮助,在此谨表示我衷心的谢意。我非常感谢西南交通大学外语学院的领导和华语教学出版社的支持。感谢威尼斯大学中文系 Abbiati Magdar 教授对本书的关心和指导。感谢为本书提供作品的当代作家们。感谢华语教学出版社傅眉编辑对本书提出的宝贵意见和热情帮助。感谢朋友 Peter Moon 和 Pat Burrows 对本书英文部分提出的修改意见。感谢曾经以不同方式直接或间接帮助我完成本书的所有朋友。

"汉语分级阅读"由西南交通大学出版基金提供部分资助。

本书作者真诚希望"汉语分级阅读"能成为外国汉语初学者的良师益友，希望广大读者和同仁不吝赐教。作者邮箱：shiji0612@126.com

史 迹

一、浪进船舱

yī làng jìn chuáncāng

yuánzhù zhōudàxīn
原著：周大新

一　浪进船舱

Guide to reading:

This is a romantic story. Nowadays more and more expatriated Chinese return to China to travel, to work, or to set up new companies. This group of people are called "Hai Gui Pai"(海归派 returned overseas Chinese). In this story, the protagonist is called Min Ming, an American-Chinese girl who is brought up and educated in America. Her father returns to China to run a company in Beijing. At first when Min Ming comes to China with her parents, she only wants to stay for a short time to understand more about China. However, she unexpectedly falls in love with Liang Zhi, a handsome and intelligent Chinese boy, son of a division commander of the army. Throughout their love affair, Liang Zhi and Min Ming experience a great deal of cultural conflict. First of all, Min Ming and Liang Zhi come from different family backgrounds, representing different modern lifestyles. Also, as Liang Zhi's grandmother is a Taoist, his mother is a Buddhist, and Min Ming is a Christian, their different religious beliefs represent different cultures. Liang Zhi's grandmother and mother represent traditional Chinese culture, while Min Ming represents the Western Christian culture. Although they hold differing cultural views and spiritual beliefs, through the course of the story, all the family members are finally able to communicate with each other, love each other, and respect each other. This romantic drama tells both of love and of cultural ferment.

故事正文：

mǐn míng cóng xiǎo zài měi guó shēng huó   zài
闵 茗 从 小 在 美 国 生 活 ，在
měi guó zhǎng dà   shòu de shì měi guó jiào yù   tā
美 国 长 大 ，受 的 是 美 国 教 育。她
zǒng xiǎng huí zhōng guó kàn kan   kàn kan bà ba de
总 想 回 中 国 看 看 ，看 看 爸 爸 的
gù xiāng hé lǎo lao de gù xiāng   tā xiǎng dào zhōng
故 乡 和 姥 姥[1]的 故 乡 。她 想 到 中
guó shēng huó yí duàn shí jiān   shùn biàn yóu lǎn yì
国 生 活 一 段 时 间 ，顺 便 游 览 一
xiē míng shèng gǔ jì   mǐn míng de bà ba jué dìng zài
些 名 胜 古 迹。闵 茗 的 爸 爸 决 定 在
běi jīng bàn yì jiā gōng sī   mǐn míng jiù gēn zhe fù
北 京 办 一 家 公 司 ，闵 茗 就 跟 着 父
mǔ yì qǐ dēng shàng le fēi wǎng zhōng guó de fēi jī
母 一 起 登 上 了 飞 往 中 国 的 飞 机。
dāng shí tā zhēn shì xīng fèn jí le
当 时 她 真 是 兴 奋 极 了。

mǐn míng de bà ba jué dìng cóng měi guó de xī
闵 茗 的 爸 爸 决 定 从 美 国 的 西
yǎ tú huí běi jīng bàn gōng sī   tā de mā ma fēi
雅 图[2]回 北 京 办 公 司 ，她 的 妈 妈 非
cháng zhī chí   dàn shì tā de lǎo lao jiān jué fǎn duì   lǎo
常 支 持 ，但 是 她 的 姥 姥 坚 决 反 对。姥
lao yì zhí shēng huó zài měi guó   lǎo lao zhī dào zài měi
姥 一 直 生 活 在 美 国 。姥 姥 知 道 在 美
guó shēng huó de hǎo chù   tā bú yuàn yì nǚ ér huí
国 生 活 的 好 处 ，她 不 愿 意 女 儿 回

1 姥 姥 : maternal
grandmother
姥爷: maternal grand-
father

2 西雅图: Seattle, the
United States

zhōng guó qù shēng huó   kě shì mǐn míng de bà ba
中 国 去 生 活 。可 是 闵 茗 的 爸 爸
shuō   běi jīng shì jīn tiān shì jiè shang zuì néng zhuàn
说 ，北 京 是 今 天 世 界 上 最 能 赚
qián de dì fang   yīng gāi qù zhàn yí kuài dì pán
钱 ¹的 地 方 ，应 该 去 占 一 块 地 盘 ²。
suǒ yǐ tā men quán jiā jiù jué dìng huí guó le   mǐn
所 以 他 们 全 家 就 决 定 回 国 了 。闵
míng de bà ba xiǎng huí guó hái yǒu yí ge zhòng yào
茗 的 爸 爸 想 回 国 还 有 一 个 重 要
de yuán yīn   nà jiù shì tā bà ba tài xiǎng zì jǐ de mǔ
的 原 因 ，那 就 是 她 爸 爸 太 想 自 己 的 母
qin le   mǐn míng de nǎi nai nián líng dà le   bù néng
亲 了 。闵 茗 的 奶 奶 年 龄 大 了 ，不 能
lái měi guó   jiù zhǐ yǒu bà ba qù kàn nǎi nai le   guān
来 美 国 ，就 只 有 爸 爸 去 看 奶 奶 了 。关
yú huí guó zhè jiàn shì   mǐn míng yuán lái zhǔn bèi péi
于 回 国 这 件 事 ，闵 茗 原 来 准 备 陪
bà mā zài běi jīng zhù shàng yì nián bàn nián de   hòu
爸 妈 在 北 京 住 上 一 年 半 年 的 。后
lái wèi le hǎo wán   tā yòu xīn xuè lái cháo de xiǎng
来 为 了 好 玩 ，她 又 心 血 来 潮 ³地 想
zài běi jīng gōng zuò yí duàn shí jiān   xiǎng duō liǎo jiě
在 北 京 工 作 一 段 时 间 ，想 多 了 解
yì xiē dà lù rén de shēng huó   tā shì xué jīn róng
一 些 大 陆 人 的 生 活 。她 是 学 金 融 ⁴
de   tā zài yì jiā yín háng zhǎo dào le gōng zuò   yě
的 。她 在 一 家 银 行 找 到 了 工 作 ，也
suàn shì yí cì shí xí ba   méi xiǎng dào mǐn míng
算 是 一 次 实 习 ⁵吧 。没 想 到 闵 明

1 赚钱: make a fortune

2 地盘: in the context it means a field or a market share

3 心血来潮: to be seized by whim

4 金融: finance

5 实习: internship

zài nà jiā yín háng li rèn shi le yí ge jiào liáng zhì de
在那家银行里认识了一个叫梁智的

xiǎo huǒ zi   hòu lái tā de shēng huó jiù fā shēng le
小伙子。后来她的生活就发生了

jù dà de biàn huà
巨大的变化。

mǐn míng shì bù zhī bù jué de ài shàng liáng zhì
闵茗是不知不觉[1]地爱上梁智

de   ài shàng liáng zhì de shí hou   tā yì diǎn yě bù
的。爱上梁智的时候，她一点也不

zhī dào tā fù qin shì jūn duì de yí ge shī zhǎng   dāng
知道他父亲是军队的一个师长[2]。当

rán   liáng zhì yě bù zhī dào mǐn míng de fù mǔ shì zuò
然，梁智也不知道闵茗的父母是做

shén me de   gèng bù zhī dào mǐn míng yì jiā qù nián
什么的，更不知道闵茗一家去年

cái cóng měi guó xī yǎ tú huí lái   liáng zhì zhǐ shì jué
才从美国西雅图回来。梁智只是觉

de mǐn míng de pǔ tōng huà shuō de hěn biè niu
得闵茗的普通话说得很别扭[3]。

tā liǎ tán liàn ài shì yīn wèi xiāng hù xī yǐn
他俩谈恋爱是因为相互吸引[4]。

liáng zhì zhǎng de hěn shuài   tā dǒng de jīn róng zhī
梁智长得很帅[5]，他懂的金融知

shi yě bǐ mǐn míng duō   mǐn míng jué de zài tā gōng
识也比闵茗多。闵茗觉得在她工

zuò de nà jiā yín háng li   liáng zhì shì xiǎo huǒ zi lǐ
作的那家银行里，梁智是小伙子里

miàn zhǎng de zuì shuài de yí wèi   liáng zhì xǐ huan
面长得最帅的一位。梁智喜欢

---

1 不知不觉: uncon-
sciously
e.g. 时间过得真快，
不知不觉地已经到了
夏天。

2 师长: the division
commander of the
army

3 别扭: awkward
e.g. 有的汉字很好
写，可是有的汉字写
起来却很别扭。

4 吸引: attract

5 帅: handsome

上 阅 茗 ，最 初 是 因 为 她 的 英 语 说
得 好 ，后 来 是 因 为 他 很 喜 欢 她 的
胸 部[1]。闵 茗 想：这 个 梁 智，看 一
个 姑 娘 怎 么 能 只 看 胸 部？应 该
看 她 的 全 身，还 有 内 心！如 果 只 看
胸 部，要 是 再 碰 上 一 个 胸 部 比 我 美
的 女 子，那 样 的 话，他 不 就 要 移 情[2] 了？

他 们 的 恋 爱 基 本 顺 利，只 有 一 次
他 们 弄 得 不 愉 快。那 是 一 个 傍 晚，
他 们 俩 在 一 条 河 边 坐 着，梁 智 好
像 在 想 着 什 么 事 儿。闵 茗 问 他：
"你 在 想 什 么？"梁 智 不 好 意 思 地 笑
笑，说："我 在 想 一 个 问 题。你 可 以
告 诉 我 吗？"他 的 样 子 使 闵 茗 感 到
好 奇[3]。梁 智 说："我 想 问 你……"

1 胸部: breasts

2 移情: change (his) love

3 好奇: curious
e.g. 他刚来中国的时候，对什么都感到好奇。

他有点不好意思。闵茗着急了："你说呀!"

梁智不好意思地问："你对女人在结婚前与男人发生性关系[1]这个问题怎么看?"闵茗一下子就明白[2]了他在关心什么，"你什么意思?"

梁智说："我想，你在美国那个特别开放的国家长大，对这个问题肯定有许多新的看法。"

闵茗说："你想了解的恐怕不是什么新的看法，而是想知道我现在还是不是处女[3]，对吧?"闵茗直直地看着梁智的眼睛。梁智的脸红了，急忙说："不，不，你别误会。"

1 发生性关系: to have sexual relation with someone

2 明白: understand

3 处女: virgin

閔茗的确有些生气。閔茗说:"我们恋爱了这么多日子,在我们相互说了"我爱你"之后,你还在考虑这个问题,我不能不生气。那么好吧,我来告诉你,任何一个男人想和我睡觉,我都会满足他!我十三岁就和男人睡觉了,我现在已经和三百个男人睡过觉,我认识你以后还和其他男人睡……"

梁智一下子伸手捂[1]住了閔茗的嘴,不让她说下去。

閔茗说:"怎么不让我说了?"

梁智赶忙说:"对不起,对不起,我不该乱说[2]。"

閔茗说:"只是对不起?你要是

1 捂: cover
e.g. 他的样子很好笑,他的同学都捂着嘴偷偷地笑他。

2 乱说: nonsense

bù xiāng xìn wǒ　wèi shén me hái gēn wǒ tán liàn ài
不 相 信 我，为 什 么 还 跟 我 谈 恋 爱？

nǐ wèi shén me bù zǒu kāi　mǐn míng shuō wán　qǐ
你 为 什 么 不 走 开？" 闵 茗 说 完，起

shēn jiù zǒu　liáng zhì sǐ sǐ de lā zhù tā　xiàng tā
身 就 走。梁 智 死 死 地 拉 住 她，向 她

dào qiàn　yào bú shì kàn zhe tā yǎn lèi jí de dōu yào
道 歉。要 不 是 看 着 他 眼 泪 急 得 都 要

liú chū lái　mǐn míng shì bú huì yuán liàng tā de
流 出 来，闵 茗 是 不 会 原 谅 他 的。

mǐn míng xīn li xiǎng　zǒng yǒu yì tiān wǒ yào
闵 茗 心 里 想：总 有 一 天 我 要

ràng tā zhī dào tā de xiǎng fǎ shì duō me huāng táng
让 他 知 道 他 的 想 法 是 多 么 荒 唐 [1]！

zhè jiàn shì mǐn míng yì zhí jì zài xīn li　zài yí
这 件 事 闵 茗 一 直 记 在 心 里。在 一

ge xià tiān de wǎn shang　tā men zài běi jīng jiāo qū
个 夏 天 的 晚 上，他 们 在 北 京 郊 区

de yí ge shān pō shang　liáng zhì kǔ kǔ de qǐng qiú
的 一 个 山 坡 上，梁 智 苦 苦 地 请 求

mǐn míng tuō xià yī fu　mǐn míng nà shí ài liáng zhì
闵 茗 脱 下 衣 服。闵 茗 那 时 爱 梁 智

yǐ jīng ài de yì tā hú tú　shí zài bù xiǎng kàn tā nà
已 经 爱 得 一 塌 糊 涂 [2]，实 在 不 想 看 他 那

zhǒng nán shòu de yàng zi　jiù bǎ tā de bái chèn yī
种 难 受 的 样 子，就 把 他 的 白 衬 衣

pū zài le zì jǐ de shēn xià　　dāng liáng zhì fēi
铺 在 了 自 己 的 身 下…… 当 梁 智 非

cháng jǐn zhāng de gēn mǐn míng zuò wán nà jiàn shì
常 紧 张 地 跟 闵 茗 做 完 那 件 事 [3]

1 荒唐：absurd, pre-posterous
e.g. 这种想法真荒唐。

2 一塌糊涂：in a hopeless mess; in a terrible state
e.g. 最近工作上的事情很多，他忙得一塌糊涂。

3 那件事：In the context it refers to making Love-making.

以后，闵茗忍着疼痛，抽出身
下那件白衬衣，让他看上边的
血。闵茗说："尊敬的梁智先
生，你给我看清楚了！"梁智反复
地说："对不起，对不起！"闵茗抓
住他的耳朵，小声说："在你的眼
里，是不是所有的女人都可以随便
地向男人献身[1]？是不是美国就
没有处女了？告诉你，我在美国受
到的是最严格的华人[2]传统教育。
再开放的国家也知道保护他们的女
儿！"他点头说："对，对。"闵茗
抓着他的耳朵还想继续说，梁智
没让她说完，只是不停地吻[3]她，
吻得闵茗一个字也说不出来……

1 献身: In this context
it refers to girls giving
up their virginity.

2 华人: foreign citi-
zens of Chinese decent

3 吻: kiss

在秋天的一个傍晚，闵茗第一次跟梁智去了他们家。他们刚在一片树林里吻过，梁智说："走吧，让你见一见你的公公婆婆[1]！"闵茗说："你别高兴得太早了，是不是你梁家的儿媳妇[2]，还得先看我愿不愿意！"他拉着闵茗走到一个大院门口，领她走了进去。闵茗这时有些吃惊。她问："你们家这里怎么有军人站岗[3]？"他笑笑说："我现在正式告诉你，我是一个军人的儿子。父亲只是个师长，官不大[4]。这不会吓着你吧？"

闵茗真的愣[5]住了，她的确没想过会找一个军人的儿子做丈

1 公公婆婆：father-in-law and mother-in-law of a married woman

2 儿媳妇：daughter-in-law

3 军人站岗：soldiers on guard

4 官不大：not a high official

5 愣：dumbfounded
e.g. 听到这个消息，他愣了半天没说话。

fu
夫。她们家没有和军人交过朋友，

jūn rén jiā tíng duì tā lái shuō shí zài shì mò shēng　　bú
军人家庭对她来说实在是陌生¹。不

guò zhè shí mǐn míng yǐ méi shí jiān qù xiǎng bié de
过这时闵茗已没时间去想别的，

zhǐ néng gēn zhe tā zǒu xiàng yì pái dài xiǎo yuàn de
只能跟着他走向一排带小院的

fáng zi　　zài yí zuò xiǎo yuàn zi li　　tā kàn jiàn yí
房子。在一座小院子里，她看见一

ge tóu shang yǒu xiē bái fà de zhōng nián nán zǐ
个头上有些白发的中年男子，

zhèng dài zhe yǎn jìng zuò zài yǐ zi shang kàn bào
正戴着眼镜坐在椅子上看报

zhǐ　liáng zhì hǎn le yì shēng　　bà ba　　tā dà yuē
纸。梁智喊了一声："爸爸。"他大约

yòu kàn le yì háng zì cái tái qǐ tóu lái　　biān zhāi
又看了一行字才抬起头来，边摘

xià yǎn jìng biān shuō　　zěn me cái xià bān　　nǐ mā
下眼镜边说："怎么才下班？你妈

zǎo bǎ fàn　　　　tā kàn jiàn le mǐn míng　　tū rán
早把饭……"他看见了闵茗，突然

tíng zhù le
停住了。

liáng zhì shuō　　zhè shì wǒ de nǚ péng you mǐn
　　梁智说："这是我的女朋友闵

míng　　　　zhè shí　　mǐn míng lǐ mào de xiàng tā
茗。"这时，闵茗礼貌地向他

shuō le yì shēng　　bó bo hǎo　　　liáng zhì de bà ba
说了一声："伯伯好！"梁智的爸爸

1 陌生: strange

e.g. 我们虽然是第一次见面，但是并不感到陌生。

没穿军装[1]，看上去和一般的中年人没什么不一样。这让闵茗稍微放心了一点儿。

梁智的爸爸说："哦。快请进屋。"闵茗注意到他看了自己一眼，但就是这一眼也让她感觉到了他的严肃。闵茗想，这是一个严肃的父亲，和她父亲的性格完全不一样。

梁智的妈妈和奶奶对于闵茗的意外到来显得十分热情。两个人拉着闵茗坐在客厅的沙发上，又是端茶，又是递毛巾，又是拿水果。尤其是他的奶奶，那个满头白发的农村打扮的老太太，拉着闵茗的手，笑得合不上嘴。她说："看看俺[2]孙子的

1 军装: army uniform

2 俺: (dialect) I, me

眼光¹，找的姑娘多好看！我早
就说，俺孙子肯定能找到一个漂
亮的老婆²，咋样？这不是找到了
吗？"闵茗的脸被她说得红红
的。梁智接着说："奶奶，现在人家³
还只是我的朋友，不是老婆。"老人
朝孙子⁴顿顿拐杖⁵说："去，去，人
家姑娘要是不想做你的老婆来咱家
里干啥？"闵茗真是不知道说什
么好，没法开口。正好梁智的父亲
朝梁智的妈妈说："还不快去再多
做两个菜，孩子们肯定饿了。"

饭菜端上饭桌时，闵明按
照从小养成的习惯，抬手在
胸前画了个十字⁶，轻轻说了几句

1 眼光: sense of judgment
e.g. 这件衣服很漂亮，你真有眼光。

2 老婆: same as 妻子

3 孙子: grandson

4 人家: a certain person, here referring to Min Ming
e.g. 这是我同屋的自行车，你用完了赶快给人家送去。

5 拐杖: walking stick

6 十字: cross

感谢上帝[1]的话，然后才去拿筷子。看到闵茗的这个动作，梁智的全家人都愣住了。梁智的父亲问："怎么，你信基督[2]?"

闵茗微笑着说:"我们一家都信基督教[3]。我母亲是美国华人的后裔[4]，我父亲是在西雅图留学的时候和母亲结婚的，他也信了基督教。我们一家人去年才从美国西雅图回来。"

闵茗看见梁智吃惊的样子，不由得[5]在心里高兴起来。在这之前，他根本不知道闵茗的一家人都是基督教徒[6]。她心想:你不告诉我你父亲是军人，而且是个师长，现在该[7]你吃惊了吧?

1 上帝: God

2 信基督: believe in Christ
信教: believe in a religion

3 基督教: Christianity

4 后裔: descendant

5 不由得: can not help
e.g. 看到这张照片，他不由得想起了过去的艰苦生活。

6 教徒: followers of a religion

7 该 : be someone's turn

liáng zhì de nǎi nai méi tīng dǒng   tā wèn   jī
梁 智 的 奶奶 没 听 懂 。她 问 ：“基
dū shì shéi
督 是 谁 ？”

liáng zhì xiàng nǎi nai jiě shì   shì yí ge shén
梁 智 向 奶奶 解释：“是 一 个 神 。”

lǎo rén yòu wèn   shén   zhè ge shén wǒ zǎ bù
老 人 又 问 ：“ 神 ？ 这 个 神 我 咋 不
zhī dào
知 道 ？”

liáng zhì shuō   nǎi nai   shì jiè shang de shén
梁 智 说 ：“ 奶奶 ，世 界 上 的 神
hěn duō   jī dū hé nǐ xìn de zǔ shī yé   yí yàng   dōu
很 多 ，基 督 和 你 信 的 祖师爷[1]一 样 ，都
shì shén
是 神 ……”

mǐn míng méi yǒu qù tīng liáng zhì de jiě shì   zhǐ
闵 茗 没 有 去 听 梁 智 的 解释，只
xì xīn de guān chá shī zhǎng   tā méi yǒu zài shuō
细 心 地 观 察 师 长 。他 没 有 再 说
huà   zhǐ shì dī zhe tóu chī fàn   zài zhěng gè chī fàn
话 ，只 是 低 着 头 吃 饭。在 整 个 吃 饭
guò chéng zhōng   tā méi yǒu zài shuō yí jù huà   mǐn
过 程 中 ，他 没 有 再 说 一 句 话。闵
míng gǎn jué dào   shī zhǎng xiān sheng duì xìn jī dū
茗 感 觉 到，师 长 先 生 对 信 基 督
de shì bú tài gāo xìng   mǐn míng xīn xiǎng   nǐ jǐn
的 事 不 太 高 兴 。闵 茗 心 想 ：你 尽
guǎn bù gāo xìng ba   wǒ jué bú huì yīn wèi yào zuò nǐ
管 不 高 兴 吧，我 决 不 会 因 为 要 做 你

1 祖师爷: the founder
of Taoism

ér zi de nǚ péng you ér gǎi biàn wǒ de xìn yǎng
儿子的女朋友而改变我的信仰[1]！

mǐn míng de gǎn jué méi cuò dì èr tiān liáng
闵茗的感觉没错。第二天梁

zhì lái shàng bān shí xīn qíng bù hǎo tā gào su mǐn
智来上班时心情不好。他告诉闵

míng   wǒ liǎ de shì zài jiā li kě néng huì yǒu má
茗："我俩的事在家里可能会有麻

fan   mǐn míng jiǎ zhuāng wú suǒ wèi de yàng zi
烦！"闵茗假装无所谓[2]的样子

shuō   yǒu má fan cái hǎo nà yàng wǒ kě yǐ qù zài
说："有麻烦才好，那样我可以去再

zhǎo yí ge nán rén zhōng guó shuài nán rén zhè me
找一个男人！中国帅男人这么

duō wǒ hái néng zhǎo bu dào yí ge   liáng zhì
多，我还能找不到一个？"梁智

shēng qì de niē zhù mǐn míng de shǒu téng de tā liú
生气地捏[3]住闵茗的手，疼得她流

chū le yǎn lèi
出了眼泪。

liáng zhì wèn mǐn míng   nǐ de fù mǔ jiū jìng
梁智问闵茗："你的父母究竟

shì gàn shén me de nǐ děi gěi wǒ shuō shí huà
是干什么的？你得给我说实话[4]。"

mǐn míng xiào dào   wǒ fù mǔ qīn dōu shì wài guó de
闵茗笑道："我父母亲都是外国的

tè wù   pài wǒ gù yì xī yǐn nǐ hǎo cóng nǐ jiā nòng
特务[5]，派我故意吸引你，好从你家弄

chū qíng bào   liáng zhì yú shì yòu měng de niē zhù
出情报[6]！"梁智于是又猛地捏住

1 信仰: belief

2 无所谓: be indifferent; not matter
e.g. 今天去还是明天去都行，我无所谓。

3 捏: pinch

4 实话: truth

5 特务: secret agent; spy

6 情报: information, intelligence

mǐn míng de ěr duo téng de tā chā diǎn guì dǎo
闵 茗 的 耳 朵，疼 得 她 差 点 跪 倒。
méi yǒu bàn fǎ   mǐn míng zhǐ dé xiàng tā shuō le shí
没 有 办 法，闵 茗 只 得 向 他 说 了 实
huà   wǒ fù qin shì yì míng shēng wù xué bó shì
话："我 父 亲 是 一 名　生 物 学 博 士¹，
xiàn zài shì běi jīng yì jiā gōng sī de zǒng jīng lǐ mǔ
现 在 是 北 京 一 家 公 司 的 总 经 理。母
qin shì běi jīng dà xué de yīng yǔ fù jiào shòu   tīng
亲 是 北 京 大 学 的 英 语 副 教 授。" 听
wán   tā de yàng zi qīng sōng qǐ lái shuō   děng
完，他 的 样 子 轻 松 起 来，说："等
zhe ba   wǒ néng bǎ shì qing bǎi píng
着 吧，我 能 把 事 情 摆 平²!"
　　hòu lái liáng zhì gào su mǐn míng   nà tiān wǎn
　　后 来 梁 智 告 诉 闵 茗，那 天 晚
shang mǐn míng cóng tā jiā zǒu le zhī hòu   tā fù qin
上 闵 茗 从 他 家 走 了 之 后，他 父 亲
lì kè zhǎo tā tán huà   shuō tā bù xī wàng liáng zhì
立 刻 找 他 谈 话，说 他 不 希 望 梁 智
jì xù gēn mǐn míng wǎng lái   liáng zhì wèn wèi shén
继 续 跟 闵 茗 往 来。梁 智 问 为 什
me   tā de shī zhǎng bà ba shuō   zhè gū niang xìn jī
么，他 的 师 长 爸 爸 说："这 姑 娘 信 基
dū   ér wǒ men jūn rén bú xìn zhè xiē   liáng zhì shuō
督，而 我 们 军 人 不 信 这 些。" 梁 智 说：
tā shì gēn jūn rén de ér zi jié hūn   yòu bú shì hé jūn
"她 是 跟 军 人 的 儿 子 结 婚，又 不 是 和 军
rén jié hūn   zài shuō   xìn yǎng bù tóng yòu bù yǐng
人 结 婚。再 说，信 仰 不 同 又 不 影

1 博士: doctor
e.g. 文学博士(doctor of literature)

2 摆平: be impartial
e.g. 我们要摆平两边的关系。

1 道教: Taoism

2 佛教: Buddhism

3 "我看那姑娘挺好 …": The grandmother talks about Min Ming using a local dialect. The main idea is that Min Ming is quite good, for she looks kind and clean. She does not look lazy and showing off. What's more, she has big breasts and sturdy hips. She will give birth to a child smoothly. Besides, she is white in complexion and we, our family, are all dark. When she marries Liang Zhi, their child will have lighter skin. Therefore I think it is good for Liang Zhi to marry her.

xiǎng yì jiā rén de gǎn qíng nǎi nai xìn dào jiào
响 一家人 的 感 情。奶 奶 信 道 教 1,

mā ma xìn fó jiào nǐ shén me yě bú xìn nǐ bú
妈 妈 信 佛 教 2,你 什 么 也 不 信,你 不

shì zhào yàng hé tā men zài yì qǐ shēng huó de hěn
是 照 样 和 她 们 在 一 起 生 活 得 很

hǎo ma shī zhǎng bèi wèn zhù le bù zhī dào zěn
好 吗?"师 长 被 问 住 了,不 知 道 怎

me huí dá liáng zhì de nǎi nai shuō wǒ kàn nà gū
么 回 答。梁 智 的 奶 奶 说:"我 看 那 姑

niang tǐng hǎo de yǎn li méi è qì shēn shang yǒu
娘 挺 好 的,眼 里 没 恶 气,身 上 有

yì gǔ qīng shuǎng jìn bú xiàng lǎn rén pí qi yě bú
一 股 清 爽 劲,不 像 懒 人,脾 气 也 不

shì nà zhǒng zhā zhā hū hū de zài shuō tā de liǎ nǎi
是 那 种 咋 咋 呼 呼 的;再 说,她 的 俩 奶

zi bù xiǎo pì gu zhǎng de dūn shi rì hòu yǎng ge
子 不 小,屁 股 长 得 墩 实,日 后 养 个

hái zi yě shùn liu hái yǒu yí yàng tā rén zhǎng de
孩 子 也 顺 溜;还 有 一 样,她 人 长 得

bái zán men yì jiā rén dōu yǒu xiē hēi tā lái le yě
白,咱 们 一 家 人 都 有 些 黑,她 来 了,也

hǎo gěi zán liáng jiā de hòu dài biàn bian zhǒng wǒ
好 给 咱 梁 家 的 后 代 变 变 种。我

kàn jiù zhè yàng dìng le tā dùn le dùn guǎi zhàng
看 就 这 样 定 了!"3 她 顿 了 顿 拐 杖

hòu shī zhǎng jiù bú zài shuō huà le zuì hòu
后,师 长 就 不 再 说 话 了…… 最 后,

shī zhǎng jiù gǎi biàn le tài du
师 长 就 改 变 了 态 度。

mǐn míng tīng zhe liáng zhì xué nǎi nai de yàng
闵 茗 听着 梁智学 奶奶的 样
zi shuō nà xiē huà   xiào le bàn tiān   tā shuō   tiān
子说 那些话，笑了半天。她说："天
na   yào shi ràng wǒ bà mā tīng jiàn yǒu rén zhè yàng
哪，要是让我爸妈听见有人这样
shuō tā men de nǚ ér   fēi qì sǐ bù kě
说他们的女儿，非气死不可[1]。"
dì èr cì qù liáng zhì jiā shí   shī zhǎng duì mǐn
第二次去梁智家时，师长对闵
míng kè qi duō le   tā dà gài shì bǎ tā kàn chéng le
茗客气多了。他大概是把她看成了
liáng jiā de rén   zhǔ dòng gēn tā shuō huà   hái wèn
梁家的人，主动跟她说话，还问
tā gōng zuò shang de qíng kuàng   wèn tā xiǎng bu
她工作上的情况，问她想不
xiǎng xī yǎ tú   shì bu shì yǐ jīng xí guàn le guó nèi
想西雅图，是不是已经习惯了国内
de huán jìng   mǐn míng yì biān huí dá yì biān guān
的环境。闵茗一边回答一边观
chá tā   tā hěn xiǎng liǎo jiě zhè ge   gōng gong
察他。她很想了解这个"公公"，
xiǎng liǎo jiě yí ge nán rén chéng le jūn duì de shī
想了解一个男人成了军队的师
zhǎng zhī hòu   jiū jìng shì yí ge shén me yàng zi   tā
长之后，究竟是一个什么样子。他
zuì hòu wèn dào le jī dū   wèn tā shì cóng shén me shí
最后问到了基督，问她是从什么时
hou xìn jī dū jiào de   mǐn míng shuō   wǒ shēng xià
候信基督教的。闵茗说："我生下

1 非气死不可: (My parents) will be very angry when they hear this

非... 不可 expresses a sense of necessity.

e.g. 外面下雨了，可是这个孩非要出去不可。

e.g. 明天你非来不可。

lái jiù shòu le xǐ lǐ　　mā ma hé lǎo lao zài wǒ hěn xiǎo
来 就 受 了 洗 礼¹，妈 妈 和 姥 姥 在 我 很 小

de shí hou jiù gào su wǒ　　jī dū shì shàn de dài biǎo
的 时 候 就 告 诉 我，基 督 是 善²的 代 表。

tā dài biǎo shàng dì　guān huái shì shang de yí qiè
他 代 表 上 帝，关 怀 世 上³的一 切

rén　tā jìn kě néng de bǎ xìng fú dài gěi rén men　tā
人，他 尽 可 能 地 把 幸 福 带 给 人 们，他

guǎn rén men de shēng yě guǎn rén men de sǐ　wǒ men
管 人 们 的 生 也 管 人 们 的 死。我 们

yīng gāi duì tā mǎn huái jìng yǎng zhī qíng
应 该 对 他 满 怀 敬 仰 之 情⁴……"

　　tā suī rán tīng de hěn rèn zhēn　dàn mǐn míng
　他 虽 然 听 得 很 认 真，但 闵 茗

néng kàn de chū tā gēn běn bú xìn zhè xiē　mǐn míng
能 看 得 出 他 根 本 不 信 这 些。闵 茗

xīn xiǎng　bù guǎn nǐ xìn bu xìn　jì rán nǐ wèn le
心 想：不 管 你 信 不 信，既 然 你 问 了，

wǒ jiù yīng gāi xiàng nǐ xuān chuán
我 就 应 该 向 你 宣 传 。

　　zài liáng zhì de jiā li　liáng zhì mā ma xìn fó
　　在 梁 智 的 家 里，梁 智 妈 妈 信 佛

jiào　fó xiàng bèi fàng zài tā de wò shì de chuāng tái
教，佛 像⁵被 放 在 她 的 卧 室 的 窗 台⁶

shang　liáng zhì de mā ma měi tiān gěi fó shāo xiāng
上 。梁 智 的 妈 妈 每 天 给 佛 烧 香⁷、

kē tóu　mǐn míng wèn tā　bó mǔ　nǐ wèi shén me
磕 头⁸。闵 茗 问 她："伯 母，你 为 什 么

xìn zhè ge shén　tā hěn yán sù de shuō　fó shì dà
信 这 个 神 ？"她 很 严 肃 地 说："佛 是 大

---

1 洗礼: baptism

2 善: kindness

3 世上: in the world
e.g. 世上还是好人
多。
e.g. 人活在世上，还
是应该多做善事。

4 敬仰之情: feelings
of veneration

5 佛像: statue of Bud-
dha

6 窗台: window sill

7 烧香 : burn joss
sticks

8 磕头: kowtow

慈大悲¹的神，敬他是为了来生²。"
cí dà bēi de shén jìng tā shì wèi le lái shēng

闵茗很吃惊，问："人怎么还有来
mǐn míng hěn chī jīng wèn rén zěn me hái yǒu lái

生？"梁智解释说："佛教认为，
shēng liáng zhì jiě shì shuō fó jiào rèn wéi

人死是必然的，但神魂却不灭。人
rén sǐ shì bì rán de dàn shén hún què bú miè rén

死后，不灭的灵魂，将在天、人、
sǐ hòu bú miè de líng hún jiāng zài tiān rén

畜生、饿鬼、地狱中轮回。来生
chù sheng è guǐ dì yù zhōng lún huí lái shēng

的命运则由善恶报应的原则支
de mìng yùn zé yóu shàn è bào yìng de yuán zé zhī

配……"³
pèi

闵茗注意到，梁智在给她讲
mǐn míng zhù yì dào liáng zhì zài gěi tā jiǎng

这些的时候，师长虽然听着，但好
zhè xiē de shí hou shī zhǎng suī rán tīng zhe dàn hǎo

像不太高兴。梁智小声告诉她：
xiàng bú tài gāo xìng liáng zhì xiǎo shēng gào su tā

"妈妈是在一次大病之后信佛的。爸爸
mā ma shì zài yí cì dà bìng zhī hòu xìn fó de bà ba

以前反对过，可是妈妈却始终坚
yǐ qián fǎn duì guò kě shì mā ma què shǐ zhōng jiān

持着信佛。"
chí zhe xìn fó

梁智的奶奶信道教。奶奶的神
liáng zhì de nǎi nai xìn dào jiào nǎi nai de shén

1 **大慈大悲**: infinitely merciful

2 **来生**: a future life

3 **"佛教认为..."**: The belief of Buddhism is that man is mortal, but the soul after death will be immortalized. After death, the immortal soul will experience the samsara among the heaven, man, brute, and hell, etc. The destiny of one's future life is dominated by the retribution of the good and evil.

1 "道教主张…": Taoism advocates a world without disasters, wars, and diseases. In this world, 人人无贵贱,皆天之所生: people are equal no matter rich and poor, all are born of nature; 高者抑之,下者举之,有余者损之,不足者补之: When a bow is bent the top comes down and the bottom-end comes up. So too does heaven take away from those that have too much, and provide for those that have not enough. Taoism also pursues the bourn of tranquility and transcendency in life.

shì zǔ shī yé   zǔ shī yé de xiàng jiù fàng zài nǎi nai de
是祖师爷,祖师爷的 像 就 放 在 奶奶的
chuáng tóu guì shang   nǎi nai zài xiàng qián bǎi le yí
床 头 柜 上 。奶奶在 像 前 摆了一
ge xiǎo tiě pén   zhōng wǔ de shí hou   nǎi nai zài tiě
个 小 铁盆 , 中 午的时候 ,奶奶在铁
pén li shāo liǎng zhāng huáng zhǐ   shāo wán zhǐ hòu
盆里烧 两 张 黄 纸 ,烧 完 纸后
hái yào kē tóu
还要磕头。

liáng zhì shuō   dào jiào zhǔ zhāng zài xiàn shí
梁 智说:" 道 教 主 张 在 现实
shì jiè shang jiàn lì méi yǒu zāi huāng   méi yǒu zhàn
世界上 建立没有灾 荒 、没有 战
zhēng méi yǒu jí bìng de píng děng shè huì   rén rén
争 、没有疾病的平 等 社会,'人人
wú guì jiàn   jiē tiān zhī suǒ shēng   gāo zhě yì zhī
无贵贱,皆天之所 生 ','高者抑之,
xià zhě jǔ zhī yǒu yú zhě sǔn zhī   bù zú zhě bǔ zhī
下者举之,有余者损之,不足者补之'。
tā hái zhuī qiú qīng jìng wú wéi   chāo fán tuō sú de
它还追求清静无为、超凡脱俗的
jìng jiè
境界……"1

liáng zhì shuō   nǎi nai cóng xiǎo jiù xìn zǔ shī
梁 智说:"奶奶从 小 就信祖师
yé   bà ba gāng dāng shī zhǎng shí xiǎng quàn nǎi nai
爷。爸爸 刚 当 师 长 时 想 劝奶奶
bié zài xìn zǔ shī yé le   nǎi nai fēi cháng shēng qì
别再信祖师爷了,奶奶非 常 生气。

nǎi nai shuō　　guó jiā dōu ràng xìn jiào zì yóu　nǐ
奶 奶 说 , 国 家 都 让 信 教 自 由 , 你

dāng shī zhǎng jiù bú ràng wǒ xìn zǔ shī yé le　wǒ xìn
当 师 长 就 不 让 我 信 祖 师 爷 了?我 信

zǔ shī yé shì wèi le ràng zǔ shī yé bǎo yòu quán jiā
祖 师 爷 是 为 了 让 祖 师 爷 保 佑 全 家

dōu néng zhǎng mìng bǎi suì　　mǐn míng tīng le dà
都 能 长 命 百 岁¹。"闵 茗 听 了 大

xiào qǐ lái　yuán lái zhè ge shī zhǎng zài nǎi nai miàn
笑 起 来 , 原 来 这 个 师 长 在 奶 奶 面

qián bìng bù wēi fēng
前 并 不 威 风²。

　　mǐn míng duì liáng zhì shuō　　wǒ bǎ wǒ men de
　　闵 茗 对 梁 智 说 :"我 把 我 们 的

shì gào su le wǒ de bà ba mā ma　nǐ cāi wǒ bà mā de
事 告 诉 了 我 的 爸 爸 妈 妈 。你 猜 我 爸 妈 的

fǎn yìng zěn me yàng　　mā ma de fǎn yìng zuì kuài　mā
反 应 怎 么 样 ? 妈 妈 的 反 应 最 快 , 妈

ma shuō le yí jù　　　zhè yàng xùn sù　　rán
妈 说 了 一 句——'这 样 迅 速?!'然

hòu　zhuā qǐ diàn huà jiù gěi zài xī yǎ tú de lǎo lao dǎ
后 , 抓 起 电 话 就 给 在 西 雅 图 的 姥 姥 打

diàn huà　mā ma duì lǎo lao shuō　　　gào su nǐ yí
电 话 。妈 妈 对 姥 姥 说——'告 诉 你 一

ge bù hǎo de xiāo xi　tā zhǎo le　lǎo lao dà shēng
个 不 好 的 消 息 , 她 找 了!'姥 姥 大 声

wèn　　shéi zhǎo le　zhǎo le shén me le
问——'谁 找 了? 找 了 什 么 了?!'"

　　mǐn míng de mā ma píng jìng le yí xià zì jǐ
　　闵 茗 的 妈 妈 平 静 了 一 下 自 己 ,

---

1 长命百岁: longevity

2 威风: awe-inspiring

才把事情跟姥姥说清楚。姥姥在电话里说："我当初[1]就反对你们把她带回去，这下可好，她还回得来吗？你们一家三个人全是糊涂虫[2]！全是！"

妈妈也笑了："反正她早晚得为自己选个男人，就让她自己决定吧。"姥姥最后说："如果茗茗[3]在西雅图找个华人青年，我送的嫁妆钱[4]是三十万美元；要是在中国大陆找，只有一万！"闵茗上前抓过电话笑着说："姥姥，一分钱我也不要！"

爸爸的反应是摘下眼镜，不停地擦，擦了有三分钟之后，才开口道："只要你觉得好，就行。"闵茗

1 当初: in the beginning; at first

2 糊涂虫: addlehead, blunderer

3 茗茗 : pet name for Min Ming, same as 小茗

4 嫁妆钱: dowry money

一下子扑到爸爸身上，喊着："爸爸
圣明[1]！""但是——"爸爸说，"你
要作好心理准备。你是基督徒，你男
朋友不是，你们日后在生活中
可能会有麻烦。"

闵茗说："有点麻烦也没
关系，我不喜欢我们的日子平
平淡淡[2]！"

爸爸拍拍闵茗的头说："好，只
要你有这个心理准备就可以了。"

闵茗赶紧说："这么说，我可
以把他带来与你们见面了？"

妈妈点头："带他来吧，只是要
先告诉我他的口味，他喜欢吃西餐
还是中餐？"闵茗说："面条儿，

1 圣明: insightful and wise

2 平平淡淡: boring; without variation

yí dà wǎn miàn tiáor jiù kě yǐ le
一大碗面条儿就可以了!"

mā ma dèng le tā yì yǎn shuō zěn me kě
妈妈瞪 [1] 了她一眼,说:"怎么可

yǐ zhǐ yòng miàn tiáo zhāo dài kè rén
以只用面条招待客人?"

mǐn míng yě dèng le mā ma yì yǎn wǒ liǎo
闵茗也瞪了妈妈一眼:"我了

jiě tā hái shi nǐ liǎo jiě tā tā lǎo jiā shì hé nán
解他,还是你了解他?他老家是河南,

tā hái shi hé nán rén de chī fàn xí guàn
他还是河南人的吃饭习惯……"

liáng zhì shì zài dāng tiān bàng wǎn lái dào mǐn
梁智是在当天傍晚来到闵

míng jiā de tā wǎng kè tīng li yí zhàn mǐn míng
茗家的。他往客厅里一站,闵茗

bà ba mā ma de yǎn jing dōu liàng le mǐn míng xīn
爸爸妈妈的眼睛都亮了。闵茗心

xiǎng zěn me yàng xiàng bu xiàng lǎo lao cháng
想:怎么样?像不像姥姥常

shuō de shēn shì huò zhě xiàng mā ma cháng shuō
说的绅士 [2]?或者像妈妈常说

de zhèng pài nán zǐ wǒ xuǎn de zhàng fu shì bú
的正派 [3] 男子?我选的丈夫是不

huì cuò de
会错的!

mǐn míng dì sān cì qù liáng zhì jiā de shí hou
闵茗第三次去梁智家的时候,

jiù kāi shǐ tǎo lùn yǒu guān hūn lǐ de shì qing le
就开始讨论有关婚礼 [4] 的事情了。

1 瞪: glare at

2 绅士: gentleman

3 正派: decency

4 婚礼: wedding

那天，闵茗和梁智商定，由他向他的父母和奶奶谈他俩的打算，她只坐在一边听。

梁智刚一开口说他们要结婚，师长就点头说："好。"梁智的爸爸同意得很痛快。他妈跟着就笑了："你爸早就急着要当爷爷哩!"

梁智的奶奶说："赶紧准备吧，先找个阴阳先生把喜日子定下；然后把聘礼给闵茗家送去……[1]"

梁智叫了起来："送什么聘礼?奶奶你这是哪一年的皇历[2]?!告诉你们，我和闵茗的婚礼在教堂里举办!"

师长显然吃了一惊："怎么能

[1] "**先找个**...": This is the traditional way of planning a wedding. People often find a geomancer to fix a lucky date of wedding. In the past, the bridegroom's family would send betrothal gift (聘礼) to the bride's family.

[2] 皇历: almanac

zài jiào táng

在教堂？"

liáng zhì shuō　　mǐn míng hé tā fù mǔ dōu jiān

梁智说："闵茗和她父母都坚

chí yào zài jiào táng jǔ xíng hūn lǐ　　wǒ xiǎng wǒ yīng

持要在教堂举行婚礼，我想我应

gāi tóng yì　　shuō wán kàn le mǐn míng yì yǎn

该同意。"说完看了闵茗一眼。

bà ba shuō　　kě wǒ shì jūn rén　cóng lái méi qù

爸爸说："可我是军人，从来没去

guò jiào táng cān jiā hūn lǐ

过教堂参加婚礼。"

liáng zhì shuō　　nà zhè cì jiù qù　zhè yòu bú

梁智说："那这次就去！这又不

huì sǔn hài¹ jūn duì de lì yì

会损害¹军队的利益。"

shī zhǎng yě bù hǎo zài shuō bié de　xiǎng le yí

师长也不好再说别的，想了一

huìr　cái diǎn diǎn tóu　shuō　　hǎo ba

会儿才点点头，说："好吧。"

zhè yì tiān yīn wèi hái yào hé liáng zhì shāng

这一天因为还要和梁智商

liang jié hūn lǚ yóu de shì　hái yào shàng wǎng chá

量结婚旅游的事，还要上网²查

yì chá　nòng de yǒu xiē wǎn le　děng mǐn míng tí

一查，弄得有些晚了，等闵茗提

chū yào zǒu shí　yǐ jīng shì wǎn shang shí yī diǎn le

出要走时，已经是晚上十一点了。

liáng zhì zhè shí xiào zhe shuō　　zhè me wǎn le　gān

梁智这时笑着说："这么晚了，干

1 损害: ruin; do harm to

2 上网: surf on the Internet

脆别回去了，就在俺家住下吧。"他妈

妈也立刻说："对，对，这个时候走也

不安全，就住下吧。"闵茗也不想

离开梁智，就说："好吧，听你们安

排。"他妈妈赶忙说："我去给你奶

奶的床上再加一床被子，茗

茗就跟奶奶睡在一起吧。"梁智一

听这样的安排，急忙说："那么麻

烦干啥？就让她睡我床上吧，

我们俩一人一床被子不就行了？"

他妈妈看了闵茗一眼，假装看

报纸。看见闵茗没反对，梁智的

妈妈就准备去安排一下。没想到就

在这时，书房门口突然响起了师

长的一声咳嗽，跟着就看见他爸

ba lěng lěng de kàn zhe liáng zhì de mā ma　mǐn míng
爸冷冷地看着梁智的妈妈。闵茗

hé liáng zhì de mā ma zhèng zhàn zài yì qǐ　tā tū rán
和梁智的妈妈正站在一起。她突然

dǎ le ge hán zhàn　yào hé liáng zhì shuì zài yì qǐ de
打了个寒战 1，要和梁智睡在一起的

xiǎng fǎ lì kè xiāo shī le　mǐn míng gǎn máng shuō
想法立刻消失了。闵茗赶忙说：

wǒ yào hé nǎi nai shuì yì qǐ　liáng zhì yě tīng dào
"我要和奶奶睡一起。"梁智也听到

le tā bà ba de ké sou　bù gǎn zài shuō shén me　zhǐ
了他爸爸的咳嗽，不敢再说什么，只

shì cháo mǐn míng shēn le shēn shé tou
是朝闵茗伸了伸舌头。

jǔ xíng hūn lǐ nà tiān　shī zhǎng chuān zhe yì
举行婚礼那天，师长穿着一

shēn xī fú　hé liáng zhì de mā ma yì qǐ zhàn zài jiào
身西服 2，和梁智的妈妈一起站在教

táng li　tā kěn dìng shì dì yī cì zǒu jìn jī dū jiào
堂里。他肯定是第一次走进基督教

táng　yí huìr　kàn kan zhèr　yí huìr　kàn kan
堂，一会儿看看这儿，一会儿看看

nàr　duì jiào táng gǎn dào hěn xīn qí　mǐn míng
那儿，对教堂感到很新奇 3。闵茗

xīn xiǎng　shī zhǎng　nǐ de ér xí jiāng ràng nǐ jiē
心想：师长，你的儿媳将让你接

chù dào yì zhǒng xīn de zōng jiào　wén huà
触到一种新的宗教 4 文化！

ràng mǐn míng gǎn dào yì wài de shì　dāng hūn
让闵茗感到意外的是，当婚

1 寒战: shiver
e.g. 一阵冷风吹来，他不由得打了一个寒战。

2 西服: western-style suit

3 新奇: new and strange
e.g. 他刚到中国的时候，处处都觉得新奇。

4 宗教: religion

礼就要结束的时候，师长 公公却
不在教堂里了。闵茗 用 眼睛扫了
一下，没有，根本没有他的影子！
闵 茗 立刻感到愤怒[1]了。她觉得，还
有这样不懂礼仪[2]的公公，儿子儿
媳的婚礼没有完他却先走了！这是
对我、对我家、对我们基督徒的不尊
重[3]！闵 茗 让身边的梁智看他
爸爸站的位置，他显然也吃了一惊，
很抱歉地看了闵 茗 一眼。闵 茗
想：不行，我必须把我的愤怒表现
出来！

　　他们从教堂里出来准备上
车回梁智家的时候，闵 茗 拒绝上
车，她要回娘家[4]。这可把梁智和他

1 愤怒: indignation

2 礼仪: etiquette

3 不尊重: disrespect

4 娘家: married woman's parents' home; her parents-in-law's home is called 婆家.

妈妈急坏了。梁智立刻明白了原因，低声对他妈妈说了几句什么，他妈妈赶忙走过来向闵茗道歉："对不起，闵茗，梁智他爸刚刚接到部队[1]的通知，说有急事，他不得不先回去……"闵茗没有接受道歉，仍然坚持要回娘家。没想到这时闵茗的爸爸走过来，严肃地说："小茗，不要胡闹[2]，你公公临时有重要的事情回去，他离开之前跟我说过！"闵茗的妈妈也走到她身边，狠狠地掐了她的手一下，闵茗这才上车回了梁家……

师长是到下午很晚的时候才回来的。闵茗坐在新房里听见他进

1 部队: the army

2 胡闹: run wild; make trouble

e.g. 这孩子不懂事，在家经常胡闹。

wū de shēng yīn　què jiǎ zhuāng méi tīng jiàn　gù
屋 的 声 音，却 假 装　没 听 见，故
yì méi yǒu chū qù。tā zài xīn li shuō　jīn hòu　wǒ
意 没 有 出 去。她 在 心 里 说：今 后，我
duì nǐ de zūn jìng huì jiǎn shǎo xǔ duō　chū hū yì
对 你 的 尊 敬 会 减 少 许 多！出 乎 意
liào de shì　shī zhǎng méi yǒu xiān qù kè tīng zuò
料 ¹ 的 是，师 长　没 有 先 去 客 厅 坐
xià　què zǒu dào mǐn míng de fáng jiān mén kǒu
下，却 走 到 闵 茗 的 房 间 门 口
shuō　　míng ming　bà ba duì bu qǐ nǐ　méi yǒu
说："茗 茗，爸 爸 对 不 起 你，没 有
cān jiā wán nǐ men de hūn lǐ jiù zǒu le　jiāo qū de
参 加 完 你 们 的 婚 礼 就 走 了。郊 区 的
yí zuò shuǐ kù² tū rán chū le diǎn wèn tí　shàng jí
一 座 水 库 ² 突 然 出 了 点 问 题，上 级
mìng lìng wǒ men bù duì lì kè gǎn qù qiǎng xiǎn
命 令 我 们 部 队 立 刻 赶 去 抢 险 ³，
suǒ yǐ
所 以……"
　　　　　mǐn míng tái tóu kàn le yì yǎn shī zhǎng pí
　　　闵 茗 抬 头 看 了 一 眼 师 长　疲
juàn de yàng zi　tā chōng mǎn gǎn qíng de jiào le
倦 的 样 子，她 充　满 感 情 地 叫 了
shēng　　bà ba　　zhè shì tā dì yī cì zhèng shì
声："爸 爸。"这 是 她 第 一 次 正 式
chèng tā　bà ba　mǐn míng zhèng shì shǔ yú liáng
称 他 "爸 爸"。闵 茗　正 式 属 于 梁
jiā rén le
家 人 了。

1 **出乎意料**: unexpect-
ed; beyond expectation
e.g. 在期末考试中，
他出乎意料地考了第
一名。

2 **水库**: reservoir

3 **抢险**: rush to deal
with an emergency

dà gài shì zài dì sān tiān wǎn fàn hòu   mǐn míng
大概是在第三天 晚饭后，闵 茗
zài chú fáng bāng pó po xǐ wán wǎn   gāng huí dào kè
在厨房 帮 婆婆洗完 碗，刚回到客
tīng zuò xià kàn diàn shì   liáng zhì jiù shǐ yǎn sè
厅坐下看电视，梁智就使眼色[1]，
ràng tā qù wò shì   mǐn míng zhī dào tā de yì si   tā
让她去卧室。闵 茗 知道他的意思，她
yí jìn wò shì   liáng zhì jiù huì bǎ tā bào dào chuáng
一进卧室，梁 智就会把她抱到 床
shang   mǐn míng kàn guò yì běn fǎ guó rén xiě de
上 。闵 茗 看过一本法国人写的
shū   shū shang shuō   xīn niáng   duì yú zhàng fu de
书，书 上 说，新 娘[2]对于 丈夫的
shàng chuáng yāo qiú   jué bù néng yǒu qiú bì yìng
上 床 要求，决不能 有求必应[3]，
nà yàng   tā hěn kuài jiù huì duì nǐ jiǎn shǎo xìng qù
那样 ，他很 快就会对你减少 兴趣。
suǒ yǐ tā jiǎ zhuāng méi kàn jiàn liáng zhì de yǎn sè
所以她假 装 没看见梁智的眼色，
ān jìng de zuò zài nǎi nai shēn biān kàn diàn shì   yǒu
安静地坐在奶奶身 边看电视，有
shí hé pó po shuō shàng yì liǎng jù huà   kàn jiàn liáng
时和婆婆说 上 一两句话。看见梁
zhì jí de zhuā ěr náo sāi   tā xīn li xiào ge bù tíng
智急得抓耳挠腮[4]，她心里笑个不停。
zhè shí   gōng gong cóng tā de shū fáng li zǒu le chū
这时，公 公 从他的书 房里走了出
lái   xiān shì ké sou le yì shēng   rán hòu shuō   wǒ
来，先是咳嗽了一声 ，然后 说："我

1 使眼色：wink at somebody; give a hint with eyes
e.g. 他使了一个眼色，让她别说话。

2 新娘：bride; 新郎：bridegroom

3 有求必应：grant whatever is requested
e.g. 别人求他帮助，他总是有求必应。

4 抓耳挠腮：scratch one's head, as a manner of anxiety

men kāi ge huì
们 开 个 会 。"

mǐn míng dùn shí yí lèng   kāi huì   zài jiā li
闵 茗 顿 时 一 愣：开 会？在 家 里
kāi shén me huì
开 什 么 会？

gōng gong yán sù de shuō   quán jiā rén dōu
公 公 严 肃 地 说："全 家 人 都
zài   wǒ xuān bù jǐ tiáo jì lù
在，我 宣 布 几 条 纪 律！"

mǐn míng kàn zhe liáng zhì   hǎo xiàng ràng tā
闵 茗 看 着 梁 智，好 像 让 他
jiě shì yí xià
解 释 一 下 。

liáng zhì shuō   bà ba de yì si shì kāi ge jiā
梁 智 说："爸 爸 的 意 思 是 开 个 家
tíng huì   kàn tā de yàng zi   zhè yàng de huì guò
庭 会 。" 看 他 的 样 子，这 样 的 会 过
qù kěn dìng yě kāi guò
去 肯 定 也 开 过 。

gōng gong shuō   dì yī   bù xǔ jiē shòu lǐ
公 公 说："第 一，不 许 接 受 礼
wù   mǐn míng jiào de zhè tiáo tài huāng táng   yú
物 。" 闵 茗 觉 得 这 条 太 荒 唐，于
shì lì kè tí le yí ge wèn tí   wǒ niáng jia bà mā
是 立 刻 提 了 一 个 问 题："我 娘 家 爸 妈
lái kàn wǒ   rú guǒ ná le lǐ wù   wǒ wèi shén me bù
来 看 我，如 果 拿 了 礼 物，我 为 什 么 不
néng shōu xià   liáng zhì xiào le   shuō   zhè zhǔ
能 收 下？" 梁 智 笑 了，说："这 主

要是指爸爸部下[1]送的礼物。我们不能收他们的礼物。"闵茗问："爸爸的部下为什么要给我们送礼物?"她还是不理解。梁智被问得有些着急。梁智说:"如果他们送了,我们就不收。"

公公又说:"第二条,不准坐轿车[2]。"闵茗再次吃了一惊,问:"为什么不让坐轿车?我父亲想把他的那辆车送给我,我为什么不能坐?"梁智又笑了,说:"爸爸说的是不准我们坐他的那辆军队轿车。"

公公又说:"第三条,公款[3]一分不能动。"闵茗明白这一条的意思:公公是说不要用公款。她

1 部下: subordinates

2 轿车: saloon car

3 公款: public money

想：可是我在银行工作，每天"动"
的不都是"公款"吗？

这种家庭会根本不给讨论的
机会。尽管闵茗不习惯，可她还是
觉得公公是一个不错的师长。她
心里更加尊敬师长公公了。

蜜月[1]的日子不知不觉就过完了。
在这些日子里，可以睡大觉，想做
什么就做什么，真舒服，闵茗心
里非常满足。她给在美国的姥姥打
了个电话。她说："姥姥，我现在才
知道什么叫幸福！"远在美国的
姥姥说："差不多所有的新娘在蜜
月里都很幸福。但愿蜜月之后你
还能感到幸福，尤其是在你结婚三

1 蜜月：honeymoon

十年之后。"闵茗想，自己会幸
福的。放下电话，她对梁智说："姥
姥有点不相信我会永远幸福下
去。"梁智笑了一声，说："怎么可
能会不幸福呢？"

闵茗看出来了，梁家的一家人
都喜欢她，也宠¹着她，只有梁智
敢说一两个"不"字。

闵茗把娘家自己屋里的东西
差不多都搬了过来，她要按照她的
审美观²来布置婆家的屋子。这儿才
是她要长久生活的家。

梁家客厅的正面墙上，挂
着一幅很大的摄影³作品，画面是
圆明园里的大水法废墟⁴。画框

1 宠: dote on
e.g. 他十分宠爱他
的孙女儿。

2 审美观: aesthetic
conceptions; sentiment

3 摄影: photography

4 大水法废墟: ruins
of Dashuifa in Yuan-
mingyuan in Beijing

de liǎng biān   gè guà zhe yí ge tiáo fú   liáng zhì
的 两 边 ，各 挂 着 一 个 条 幅¹。梁 智
gào su tā   nà zhào piàn shì tā bà ba pāi de   tiáo fú
告诉她，那 照 片 是 他 爸 爸 拍 的，条 幅
yě shì bà ba xiě de   mǐn míng chéng rèn   nà zhào
也 是 爸 爸 写 的。闵 茗 承 认，那 照
piàn zhào de bú cuò   bú guò gōng gong de shū fǎ hěn
片 照 得 不 错。不 过 公 公 的 书 法 很
yì bān   mǐn míng xiǎng huàn yì fú fēng jǐng huà guà
一 般。闵 茗 想 换 一 幅 风 景 画 挂
shàng   liáng zhì jiān jué fǎn duì   shuō   nà shì bà ba
上 ，梁 智 坚 决 反 对，说："那 是 爸 爸
de zuò pǐn   nǐ bǎ tā huàn xià lái   huì rě bà ba bù
的 作 品 ，你 把 它 换 下 来，会 惹 爸 爸 不
gāo xìng   tā xiǎng xiang yě shì   jiù zài duì miàn de
高 兴！"她 想 想 也 是，就 在 对 面 的
qiáng shang guà le yì fú shèng mǔ yǔ shèng zǐ huà
墙 上 挂 了 一 幅 圣 母 与 圣 子²画
xiàng   nà fú huà xiàng yě hěn dà   ér qiě huà miàn
像 。那 幅 画 像 也 很 大，而 且 画 面
shang yǒu yì zhǒng wēn xīn   de gǎn jué   mǐn míng
上 有 一 种 温 馨³的 感 觉。闵 茗
hái zài cān zhuō shang bǎi le yí ge shí zì jià
还 在 餐 桌 上 摆 了 一 个 十 字 架⁴。
duì jiā li zhè xiē gǎi biàn   gōng gong   pó po
对 家 里 这 些 改 变，公 公 、婆 婆
hé nǎi nai dōu méi yǒu fǎn duì   liáng zhì gèng bú huì
和 奶 奶 都 没 有 反 对，梁 智 更 不 会
yǒu yì jiàn   tā céng duì zhe mǐn míng de ěr duo xiào
有 意 见。他 曾 对 着 闵 茗 的 耳 朵 笑

1 条幅: scroll of calligraphy

2 圣母与圣子画像: picture of the Virgin Mary and Jesus

3 温馨: warm and cozy

e.g. 她的房间布置得很温馨。

e.g. 人们都希望有一个温馨的家。

4 十字架: crucifix

着说:"只要夜里我叫你做什么你就做什么就行了,给我完全的自由,别的事我都不管。"闵茗听后,在他的大腿上掐了一下,说:"你讨厌不讨厌?!"

然而,闵明也有遭到反对的时候。闵茗在奶奶的屋子里摆了一个小耶稣[1]像,让奶奶随时看到上帝,让上帝也保佑她老人家身体健康。没想到奶奶看见后,吓得赶忙喊道:"快,快拿走!一间屋子里不能有两个神,如果他们中间有了冲撞[2],那可怎么办?"闵茗想解释一下,可是奶奶已经被吓得向祖师爷跪下了。她只好

1 耶稣: Jesus

2 冲撞: collide, conflict

ná zǒu le   tā xīn li jué de   zǔ shī yé hé yē sū jì rán
拿 走 了。她 心 里 觉 得，祖 师 爷 和 耶 稣 既 然
dōu shì shén   tā men kěn dìng huì hé mù xiāng chǔ de
都 是 神，他 们 肯 定 会 和 睦 相 处[1]的。
àn zhào jié hūn qián de jì huà   mǐn míng hé
按 照 结 婚 前 的 计 划，闵 茗 和
liáng zhì jié hūn hòu yào huí yí tàng tā men de lǎo jiā
梁 智 结 婚 后 要 回 一 趟 他 们 的 老 家[2]
hé nán   hái yào qù wǔ dāng shān hé luò yáng   lǚ
河 南，还 要 去 武 当 山 和 洛 阳[3] 旅
yóu   zài tā men dòng shēn zhī qián   tā men zhǔn bèi
游。在 他 们 动 身 之 前，他 们 准 备
le sòng gěi lǎo jiā qīn qi men de lǐ wù hé tā men zì
了 送 给 老 家 亲 戚 们 的 礼 物 和 他 们 自
jǐ chī de hē de chuān de yòng de suǒ yǒu dōng
己 吃 的、喝 的、穿 的、用 的 所 有 东
xi mǐn míng hái ràng liáng zhì qù mǎi le jǐ hé bì
西。闵 茗 还 让 梁 智 去 买 了 几 盒 避
yùn tào   jǐn guǎn tā zhī dào pó po hé nǎi nai fēi cháng
孕 套[4]。尽 管 她 知 道 婆 婆 和 奶 奶 非 常
xiǎng yào hái zi   kě tā bù xiǎng xiàn zài jiù huái yùn
想 要 孩 子，可 她 不 想 现 在 就 怀 孕[5]，
tā xiǎng yào hǎo hāo xiǎng shòu qīng chūn   zài shuō
她 想 要 好 好 享 受 青 春[6]。再 说，
tā zài xī yǎ tú de nà me duō jiě mèi dōu jué dìng bú
她 在 西 雅 图 的 那 么 多 姐 妹 都 决 定 不
yào hái zi   tā yě bù xiǎng ràng hái zi xiàn zhì zì jǐ
要 孩 子，她 也 不 想 让 孩 子 限 制 自 己
de zì yóu   tā gǎn dào qí guài de shì   tā qīng qīng
的 自 由。她 感 到 奇 怪 的 是，她 清 清

1 和睦相处: live in harmony

e.g. 各国留学生和睦相处，大家生活得很愉快。

2 老家: hometown

3 武当山和洛阳: Mount Wudang and Luoyang City

4 避孕套: condom

5 怀孕: pregnancy

6 青春: prime, bloom

楚楚记得梁智把几盒避孕套装在了提包里，可是在出门之前，她却发现没有了，而且在卧室里找了半天也没找到，梁智也觉着奇怪。他俩正在着急的时候，婆婆过来笑着问："找啥呢？去车站的时间已经到了，该走了！"闵茗说："我们有一样东西不知放哪了。"婆婆问："是不是那个东西……"婆婆做了个手势[1]。闵茗脸红了一下，点头说对。婆婆笑道："别找了，那东西是我拿走了。"闵茗很吃惊，问："妈妈，你拿走那东西干什么？"婆婆笑道："你爸爸特别想要一个孙子，就让我来找那些东西。我拿走了。"闵

míng jiǎn zhí yǒu xiē kū xiào bù de   tiān na   xiǎng yòng
茗 简 直 有 些 哭 笑 不 得：天 哪， 想 用
zhè zhǒng bàn fǎ ràng wǒ huái yùn   tài bèn le
这 种 办 法 让 我 怀 孕，太 笨 了!

　　dào le chē zhàn děng huǒ chē de shí hou   mǐn
　　到 了 车 站 等 火 车 的 时 候，闵
míng ràng liáng zhì zài qù mǎi jǐ hé bì yùn tào   tā
茗 让 梁 智 再 去 买 几 盒 避 孕 套，他
què bù xiǎng qù mǎi   xiǎn rán gōng gong pó po gēn
却 不 想 去 买， 显 然 公 公 婆 婆 跟
tā shuō guò huái yùn de shì   tā shuō   wǒ hǎo xiàng
他 说 过 怀 孕 的 事。他 说："我 好 像
jì de   nǐ men jiào huì shì bù xǔ jié yù[1] de   mǐn
记 得，你 们 教 会 是 不 许 节 育[1]的。"闵
míng yì liǎn bù gāo xìng de shuō   nǐ dǎo huì zhǎo
茗 一 脸 不 高 兴 地 说："你 倒 会 找
jiè kǒu[2]   yě hǎo   nǐ bú qù mǎi dāng rán kě yǐ   zhǐ
借 口[2]。也 好，你 不 去 买 当 然 可 以，只
shì cóng jīn tiān qǐ   nǐ bié xiǎng dòng wǒ yí xià
是 从 今 天 起，你 别 想 动 我 一 下!"
liáng zhì jiàn tā fā le pí qi   zhǐ hǎo lǎo lǎo shí shí de
梁 智 见 她 发 了 脾 气， 只 好 老 老 实 实 地
qù mǎi le
去 买 了。

　　tā men xiān dào le liáng zhì de hé nán lǎo
　　他 们 先 到 了 梁 智 的 河 南 老
jiā bài fǎng[3] le liáng zhì de dà bó   dà niáng hé èr
家，拜 访[3] 了 梁 智 的 大 伯、大 娘 和 二
shū èr shěn yǐ jí táng gē   táng jiě   táng dì
叔、二 婶，以 及 堂 哥、堂 姐、堂 弟、

---

1 节育: birth control

2 借口: excuse, pretext
e.g. 他英语考试没通过，他找借口说这次考试太难了。

3 拜访: call on
e.g. 他每次春节回家都要拜访很多亲戚朋友。
e.g. 他经常去拜访他的老师。

1 大伯, 大娘: father's elder brother and his wife; 二叔, 二婶: father's first younger brother and his wife; 堂哥: elder cousin; 堂姐: female elder cousin; 堂弟: younger cousin; 堂妹: female younger cousin

2 (去) 坟上烧纸: a superstitious belief that burning paper money for the dead on their tomb provides money to the dead in the underworld
This is regarded as one's filial devotion to his late grandparents, late parents, etc.

3 村庄: village

堂妹。[1] 他们去梁智爷爷的坟上烧了纸[2]。这是闵茗第一次来到河南农村。这里的乡村风景和美国的乡村风景完全不同，最大的不同是这里的村庄[3]离得很近，有些村庄之间的距离仅有一公里。每个村庄里住的人也很多。闵茗新奇地看着乡间的一切。村里很多人都来看他们。姑娘们好奇地问她的衣服是用什么料子做的，问她是用什么办法把皮肤保护得那样白……她们对她的一切都感兴趣，包括对她这个人。

晚饭后，大家坐在院子里一起聊天，他们说到了公公。有几个

lǎo rén jiǎng le gōng gong guò qù de gù shi　tā men
老人 讲 了 公 公 过 去 的 故 事。他 们

shuō gōng gong xiǎo shí hou tè bié néng pá shù　tā
说 公 公 小 时 候 特 别 能 爬 树,他

néng pá shàng cūn li zuì gāo de shù　tā men shuō tā
能 爬 上 村 里 最 高 的 树;他 们 说他

lì qi dà　tā káng zhe yì bǎi bā shí jīn zhòng de dōng
力气大,他 扛 着 180 斤 重 的 东

xi　zǒu lù néng xiàng hóu zi yí yàng de kuài　tā
西,走 路 能 像 猴 子 一 样 地 快。他

men zuì hòu wèn gōng gong néng bu néng dāng shàng
们 最 后 问 公 公 能 不 能 当 上

jiāng jūn　liáng zhì shuō bù zhī dào　tā men shuō
将 军[1],梁 智 说 不 知 道。他 们 说:

zán men cūn li hái méi chū guò yí ge jiāng jūn　yào
咱 们 村 里 还 没 出 过 一 个 将 军,要

shi tā néng dāng jiāng jūn　nà kě shì zán cūn zi de
是 他 能 当 将 军,那 可 是 咱 村 子 的

guāng róng　a　mǐn míng cóng méi xiǎng guò gōng
光 荣[2] 啊! 闵 茗 从 没 想 过 公

gong dāng bu dāng jiāng jūn de wèn tí　zhè yǔ tā
公 当 不 当 将 军 的 问 题, 这 与 她

méi yǒu rèn hé guān xi　tā zhǐ shì duì gōng gong guò
没 有 任 何 关 系。她 只 是 对 公 公 过

qù de gù shi gǎn xìng qù　yuán lái gōng gong nián
去 的 故 事 感 兴 趣。原 来 公 公 年

qīng shí hái shi yí ge tǐng yǒu yì si de rén wù
轻 时 还 是 一 个 挺 有 意 思 的 人 物。

hòu lái tā men dào wǔ dāng shān hé luò yáng lǚ
后 来 他 们 到 武 当 山 和 洛 阳 旅

1 将军: general

2 光荣: glory

1 仙境: fairyland

2 龙门石窟: Longmen Rock Cave

3 雕刻: sculpture

4 惊叹: exclaim

5 鬼魅: ghosts

6 白马寺: the Temple of White Horse
It is said that this was the first temple of Buddhism in China. Once upon a time, the hierarch led a white horse from the west, carrying volumes of sutra to Luoyang. The Emperor of the East Han Dynasty received him warmly and ordered the construction of a temple. This is regarded as the starting point of Buddhism in China.

7 圣地: holy land

游。武当山真是一个美丽的地方。闵茗看到了祖师爷的坐像。祖师爷坐在那里真的使人相信他已进入了仙境[1]。他们来到洛阳。站在洛阳龙门石窟[2]中那座最大的佛像前，闵茗为先人的雕刻[3]技艺惊叹[4]，好像她也理解了婆婆为什么信佛。有这样的大佛来保佑，一般的鬼魅[5]是不敢走近被他保护的人的。梁智告诉闵茗，妈妈也曾来过这里。这里是佛教在中国的起点。在白马寺[6]，梁智让闵茗给佛磕头。闵茗想了想，还是没有磕，她担心基督看见了不高兴。

道教和佛教这两处圣地[7]使

闵茗大开眼界¹。梁智说："奶奶看重²的是进入仙境，是长生；妈妈看重的是来生、来世；你看重的是天国。我既不信祖师爷也不信佛祖，我这种不信任何宗教的人，看重的只是幸福。"

旅游结束了。他们回家的那天晚上，全家人为他们举行了一个晚宴。闵茗和奶奶、公公、婆婆还有梁智都碰了杯³。全家人喝得一片笑声。婆婆可能还在想着儿媳怀孕的事，不让她多喝酒。平日很严肃的公公，那晚也满脸含笑地听着她讲旅游中的事情。

大约在他们到家几天后的一个

1 大开眼界: widen one's view

2 看重: regard as important

3 碰杯: cheers

bàng wǎn   mǐn míng fā xiàn gōng gong yǔ píng shí
傍 晚，闵 茗 发 现 公 公 与 平 时
yǒu xiē bù tóng   tā píng shí xià bān hòu zǒng shì zuò
有 些 不 同 。他 平 时 下 班 后 总 是 坐
zài nàr   kàn bào zhǐ   yào me zuò zài yuàn zi li
在 那 儿 看 报 纸，要 么 坐 在 院 子 里，
yào me zuò zài kè tīng li   dàn nà tiān xià bān hòu   tā
要 么 坐 在 客 厅 里。但 那 天 下 班 后，他
zuò zài shā fā shang yí dòng bú dòng   mǐn míng bǎ
坐 在 沙 发 上 一 动 不 动 ¹。闵 茗 把
jiā li de jǐ fèn bào zhǐ dōu ná dào le tā de miàn
家 里 的 几 份 报 纸 都 拿 到 了 他 的 面
qián   dàn tā hǎo xiàng méi kàn jiàn   hái shi zuò zài nà
前，但 他 好 像 没 看 见，还 是 坐 在 那
li   yí dòng bú dòng
里 一 动 不 动 。

nà tiān de wǎn fàn gōng gong chī de hěn shǎo
那 天 的 晚 饭 公 公 吃 得 很 少，
tā zhǐ chī le jǐ kǒu miàn tiáo jiù fàng xià le kuài zi
他 只 吃 了 几 口 面 条 就 放 下 了 筷 子。
pó po yě gǎn dào hěn yì wài   wèn tā   shì bu shì
婆 婆 也 感 到 很 意 外 ²，问 他：“是 不 是
bìng le   gōng gong yáo yao tóu   shuō   zhōng
病 了？”公 公 摇 摇 头，说：“中
wǔ chī duō le   bú è   dì èr tiān zǎo shang qǐ
午 吃 多 了，不 饿。”第 二 天 早 上 起
chuáng hòu   gōng gong yě méi yǒu xiàng píng shí nà
床 后，公 公 也 没 有 像 平 时 那
yàng ná ge shōu yīn jī qù sàn bù   ér shì zhàn zài yuàn
样 拿 个 收 音 机 去 散 步，而 是 站 在 院

1 一动不动: motion-
less

2 意外: unexpected
e.g. 出现这种情况
真是让人感到意外。

zhōng de zhú zi qián fā dāi

中 的 竹 子 前 发 呆 ¹。

jiē xià lái de jǐ tiān   qíng xíng dōu chā

接 下 来 的 几 天 ，情 形 都 差

bu duō

不 多 。

yǒu yì tiān zhōng wǔ   mǐn míng kàn jiàn gōng

有 一 天 中 午 ，闵 茗 看 见 公

gong hé pó po dōu zài shū fáng li   tā tīng jiàn pó po

公 和 婆 婆 都 在 书 房 里 ，她 听 见 婆 婆

wèn   tā bà   nǐ shì bu shì yù dào shén me shìr

问 ："他 爸 ，你 是 不 是 遇 到 什 么 事 儿

le   gōng gong tàn le kǒu qì   méi shì   pó po

了 ？" 公 公 叹 了 口 气 ："没 事 。"婆 婆

shuō   yǒu shì nǐ jiù shuō chū lái   wǒ yě hǎo bāng

说 ："有 事 你 就 说 出 来 ，我 也 好 帮

zhe gěi nǐ chū ge zhǔ yi   gōng gong shuō   néng

着 给 你 出 个 主 意 。"公 公 说 ："能

yǒu shén me shìr   fàng xīn ba

有 什 么 事 儿 ？放 心 吧 。"

kě mǐn míng cāi xiǎng gōng gong xīn li yǒu

可 闵 茗 猜 想 公 公 心 里 有

shìr   jiù qiāo qiāo duì liáng zhì shuō   nǐ guān

事 儿 ，就 悄 悄 对 梁 智 说 ："你 关

xīn yí xià bà ba   tā kěn dìng shì yù dào le shén me

心 一 下 爸 爸 ，他 肯 定 是 遇 到 了 什 么

shìr   liáng zhì chén mò le yí zhèn   shuō   bú

事 儿 。"梁 智 沉 默 了 一 阵 ，说 ："不

huì ba   jí shǐ yù dào le shén me shìr   tā shì shī

会 吧 ，即 使 遇 到 了 什 么 事 儿 ，他 是 师

1 发呆: be in a daze
e.g. 她站在窗前发
呆。

zhǎng yě néng xiǎng de tōng　bú guò nǐ shuō de yě
长 也 能 想 得 通 [1]。不 过 你 说 得 也

duì　wǒ wǎn shang wèn wen tā
对，我 晚 上 问 问 他。"

　　liǎng tiān zhī hòu　mǐn míng tóng liáng zhì kāi
　　两 天 之 后，闵 茗 同 梁 智 开

wán xiào dào　　guān xīn nǐ bà le ma　　tā xiào
玩 笑 道："关 心 你 爸 了 吗？"他 笑

xiao　wèn le　yí jiàn xiǎo shì mǎ shàng jiù huì chǔ
笑："问 了，一 件 小 事，马 上 就 会 处

lǐ hǎo
理 好。"

　　mǐn míng hěn kuài bǎ zhè jiàn shìr　wàng le
　　闵 茗 很 快 把 这 件 事 儿 忘 了。

zài shuō　tā zì jǐ yě yǒu hěn duō shìr　yào zuò
再 说，她 自 己 也 有 很 多 事 儿 要 做，

zuò měi róng　zuò tóu fa　zuò jiàn měi cāo　jiàn nǚ
做 美 容 [2]、做 头 发、做 健 美 操 [3]、见 女

péng you děng děng
朋 友 等 等。

　　hěn duō nǚ péng you dōu gào su tā　jié hūn hòu
　　很 多 女 朋 友 都 告 诉 她，结 婚 后

de rì cháng shēng huó hěn kě pà　tā huì shǐ nǐ měi
的 日 常 生 活 很 可 怕，它 会 使 你 美

hǎo de xī wàng yì diǎn diǎn de xiāo shī　tā huì gěi nǐ
好 的 希 望 一 点 点 地 消 失，它 会 给 你

dài lái wú jìn de fán nǎo hé má fan　kě mǐn míng fā
带 来 无 尽 的 烦 恼 和 麻 烦。可 闵 茗 发

xiàn shì qing bìng bú shì zhè yàng de　hūn hòu shēng
现 事 情 并 不 是 这 样 的。婚 后 生

1 想得通: relieve worries in the mind through thinking
c.g. 这个问题他想得通，但对于这件事他想不通。

2 美容: facial

3 健美操: fitness exercises

mǐn míng dà kāi yǎn jiè   liáng zhì shuō   nǎi nai kàn
闵 茗 大 开 眼 界[1]。梁 智 说："奶 奶 看
zhòng de shì jìn rù xiān jìng   shì zhǎng shēng   mā
重[2]的 是 进 入 仙 境，是 长 生；妈
ma kàn zhòng de shì lái shēng   lái shì   nǐ kàn zhòng
妈 看 重 的 是 来 生、来 世；你 看 重
de shì tiān guó   wǒ jì bú xìn zǔ shī yé yě bú xìn fó
的 是 天 国。我 既 不 信 祖 师 爷 也 不 信 佛
zǔ   wǒ zhè zhǒng bú xìn rèn hé zōng jiào de rén   kàn
祖，我 这 种 不 信 任 何 宗 教 的 人，看
zhòng de zhǐ shì xìng fú
重 的 只 是 幸 福。"

lǚ yóu jié shù le   tā men huí jiā de nà tiān
旅 游 结 束 了。他 们 回 家 的 那 天
wǎn shang   quán jiā rén wèi tā men jǔ xíng le yí ge
晚 上，全 家 人 为 他 们 举 行 了 一 个
wǎn yàn   mǐn míng hé nǎi nai   gōng gong   pó po hái
晚 宴。闵 茗 和 奶 奶、公 公、婆 婆 还
yǒu liáng zhì dōu pèng le bēi   quán jiā rén hē de yí
有 梁 智 都 碰 了 杯[3]。全 家 人 喝 得 一
piàn xiào shēng   pó po kě néng hái zài xiǎng zhe ér xí
片 笑 声。婆 婆 可 能 还 在 想 着 儿 媳
huái yùn de shì   bú ràng tā duō hē jiǔ   píng rì hěn
怀 孕 的 事，不 让 她 多 喝 酒。平 日 很
yán sù de gōng gong   nà wǎn yě mǎn liǎn hán xiào
严 肃 的 公 公，那 晚 也 满 脸 含 笑
de tīng zhe tā jiǎng lǚ yóu zhōng de shì qing
地 听 着 她 讲 旅 游 中 的 事 情。
dà yuē zài tā men dào jiā jǐ tiān hòu de yí ge
大 约 在 他 们 到 家 几 天 后 的 一 个

1 大开眼界: widen one's view

2 看重: regard as important

3 碰杯: cheers

傍晚，闵茗发现公公与平时有些不同。他平时下班后总是坐在那儿看报纸，要么坐在院子里，要么坐在客厅里。但那天下班后，他坐在沙发上一动不动[1]。闵茗把家里的几份报纸都拿到了他的面前，但他好像没看见，还是坐在那里一动不动。

那天的晚饭公公吃得很少，他只吃了几口面条就放下了筷子。婆婆也感到很意外[2]，问他："是不是病了？"公公摇摇头，说："中午吃多了，不饿。"第二天早上起床后，公公也没有像平时那样拿个收音机去散步，而是站在院

huó kāi shǐ zhī hòu   tā hé liáng zhì réng rán jué de hěn
活 开 始 之 后 , 她 和 梁 智 仍 然 觉 得 很
xìng fú   zǎo shang tā men liǎ yì qǐ qù yín háng
幸 福 。 早 上 他 们 俩 一 起 去 银 行
shàng bān   tā men pàn wàng zhe yè wǎn de dào lái
上 班 ; 他 们 盼 望 着 夜 晚 的 到 来
hǎo xiǎng shòu ài qíng   chú le xīng qī rì tā qù jiào
好 享 受 爱 情 。 除 了 星 期 日 她 去 教
táng zuò lǐ bài   shì yí ge rén qù   shèng xià de shí jiān
堂 做 礼 拜[1]是 一 个 人 去 , 剩 下 的 时 间
tā men chā bu duō shì xíng yǐng bù lí   zhǐ yào mǐn
他 们 差 不 多 是 形 影 不 离[2]。 只 要 闵
míng zài běi jīng   měi ge zhōu mò tā dōu qù jiào táng
茗 在 北 京 , 每 个 周 末 她 都 去 教 堂
zuò lǐ bài   mā ma duō cì gào su tā   zuò le jī dū
做 礼 拜 。 妈 妈 多 次 告 诉 她 , 做 了 基 督
tú   jiù yào jì zhù jī dū tú de guī ju   mā ma shuō
徒 , 就 要 记 住 基 督 徒 的 规 矩[3]。 妈 妈 说 :
qù jiào táng shì yì zhǒng xué xí   gèng zhòng yào de
去 教 堂 是 一 种 学 习 , 更 重 要 的 ,
qù jiào táng kě yǐ jiān dìng rén de xìn yǎng   zài jīn
去 教 堂 可 以 坚 定 人 的 信 仰 。 在 今
tiān   suí zhe kē xué de fā zhǎn   jī dū tú yào bú
天 , 随 着 科 学 的 发 展 , 基 督 徒 要 不
duàn de chóng wēn   shàng dì de jiào huì   cóng ér
断 地 重 温[4] 上 帝 的 教 诲[5], 从 而
shǐ zì jǐ duì shàng dì de xìn yǎng gèng jiā jiān dìng
使 自 己 对 上 帝 的 信 仰 更 加 坚 定
qǐ lái
起 来 。

---

1 做礼拜: go to church

2 形影不离: be always together

3 规矩: rules

4 重温: review

5 教诲: edification

mǐn míng yǐ wéi tā duì shàng dì nà me qián
闵 茗 以 为 她 对 上 帝 那 么 虔

chéng　　shàng dì gěi tā de xìng fú yí dìng hěn duō
诚 ¹，上 帝 给 她 的 幸 福 一 定 很 多，

zú gòu tā xiǎng shòu dào yì bǎi suì　kě shì tā méi
足 够 她 享 受 到 一 百 岁。可 是 她 没

xiǎng dào　jié hūn zhī hòu jǐn jǐn qī shí wǔ tiān　tā de
想 到，结 婚 之 后 仅 仅 七 十 五 天，她 的

xìng fú jiù tū rán zhōng duàn le
幸 福 就 突 然 中 断 ²了！

nà shì yí ge lǐ bài tiān　zǎo fàn hòu　mǐn míng
那 是 一 个 礼 拜 天。早 饭 后，闵 茗

yào qù jiào táng zuò lǐ bài　tā zhèng yào chū mén
要 去 教 堂 做 礼 拜。她 正 要 出 门，

liáng zhì guò lái shuō　　bà ràng nǐ gěi yí wèi tán shū
梁 智 过 来 说："爸 让 你 给 一 位 谭 叔

shu sòng yí yàng dōng xi　tán shū shu jiù zhù zài lí
叔 送 一 样 东 西。谭 叔 叔 就 住 在 离

jiào táng bù yuǎn de yí ge xiǎo qū li　nǐ zuò wán lǐ
教 堂 不 远 的 一 个 小 区 里。你 做 完 礼

bài　　shùn biàn zǒu guò qù　jǐ fēn zhōng jiù dào
拜，顺 便 走 过 去，几 分 钟 就 到，

zhǎo dào tán shū shu de jiā　jiù shuō shì bà ba ràng nǐ
找 到 谭 叔 叔 的 家，就 说 是 爸 爸 让 你

dài guò lái de　fàng xià lǐ wù jiù xíng le　　tā gěi
带 过 来 的，放 下 礼 物 就 行 了。"他 给

le mǐn míng yì zhāng xiě zhe dì zhǐ de zhǐ tiáo hé yí
了 闵 茗 一 张 写 着 地 址 的 纸 条 和 一

ge shǒu tí dài　mǐn míng kàn jiàn shǒu tí dài li
个 手 提 袋。闵 茗 看 见 手 提 袋 里

1 虔诚: pious

2 中断: break off

装着一盒巧克力和一盒点心，很
轻，她点头说："放心吧。"

闵茗带着好心情向教堂走
去。来到北京之后，一到秋天，她的
心情都特别好。北京的秋天秋高气
爽[1]，与西雅图的气候很相似。今
年的秋天因为有了婚姻的幸福，
闵茗心情更加愉快。她小声
唱着歌儿走到了教堂门前。这
座教堂不大，因为这个地区的基督徒
不多，大概能坐几十个人吧。她快要
走到教堂门口的时候，忽然看见
一个老太太拉着一个女孩，在教堂门
口跟几个正要进教堂的基督教徒
说着什么。闵茗有些好奇，也走

1 秋高气爽: clear and crisp autumn day

到了她们面前。她听到老太太正对人们说着："我这孙女把三百多块钱的学费丢了,现在我孙女没法[1]上学了,麻烦各位帮帮忙,这孩子急得早饭都没吃呢。"几个人听了,就都去摸自己的钱包。闵茗也在掏钱包,一摸才知道自己忘了带钱包。还好,几个教徒已经为那女孩凑够了三百多块钱的学费。老人和女孩真是千恩万谢[2]。这时闵茗想到那女孩还没吃早饭,就把带给谭叔叔的礼物递到了女孩手上。她说:"这里有点吃的,你拿去吧。"老人和女孩又是千恩万谢。闵茗一边往教堂里走一边想,我明天再买一盒点

1 没法: same as 没有办法

2 千恩万谢: be extremely grateful

心和巧克力给那个谭叔叔送去就行
了，反正又不是什么贵重东西，
而且这种东西早一天送到和晚
一天送到也不会有多大的关系。她
当时一点也不知道自己犯了一个大
错误。

　　闵茗做完礼拜后，在回家的路
上，碰见了一位阿姨。这位阿姨当
初在美国留学时常到她们家玩。
她们两个站在街边说了很长时
间的话。等她回家时已经是中午
了。她刚一进门，梁智就走过来
问："送到了吧？"她当时还在想
和那位阿姨的谈话，没反应过来他
问的事情，就随便地点了点头。

梁智一见她点头，就高兴地跑到公公面前说："爸，咋样，我说能行吧？成了，事情肯定能成了！"梁智的话引起了闵茗的注意，她赶忙问："你说什么事成了？"他笑道："暂时保密[1]，以后再说吧。"他的话让闵茗更加糊涂[2]。她反正有点累了，还有点饿，也没再问，就急忙坐到了饭桌前。

吃过了一碗饭之后，闵茗才想起了公公让她送去的礼物，想起该跟老人说一声，于是就开口道："爸，你早上让我送给谭叔叔的那两盒吃的东西，我转送给别人了。明天我上班

1 保密: keep secret

2 糊涂: confused, bewildered
e.g. 他越解释，我越糊涂。

路过谭叔叔家的时候，我再买了
送过去……"

　　闵茗说到这儿停住了，因为
她看到公公和梁智的脸上都
露出了惊愕[1]。他们都把筷子停在嘴
边，全身一动不动。

　　梁智最先开了口，问："你刚
才不是说你把那东西送到了吗？"

　　闵茗说："没有啊？"

　　梁智生气地说："你怎么可以
这样？"

　　她说："不就是两盒吃的东西
吗？我明天再买一样的给谭叔叔
送去不就得了！今天那个小女孩实在
可怜……"她开始讲早晨在教堂

1 惊愕: startle, stun

门口发生的事情。没想到她还没有讲完，公公突然把筷子往桌上一拍，站起身来吼[1]道：

"胡闹！"

闵茗愣愣地看着公公，她真的有些吃惊。她想：他为这么点小事就发这么大的脾气！看来，我对他真的是不了解。这件事要在我家，我爸妈知道后会夸奖[2]我的。

公公的火气好像越来越大，他说："你还能办成一点什么事儿？！"

闵茗也忍不住了，说："我大概办不成什么大事，可我没有胡闹！"她冷冷地回了他一句。

1 吼: shout

2 夸奖: praise

gōng gong lí kāi le fàn zhuō   zǒu jìn tā hé pó
公　公　离 开 了 饭 桌 ，走 进 他 和 婆

pó de wò shì   bǎ mén shuāi shàng le
婆 的 卧 室 ，把 门　摔　上 了 。

pó po xiǎn rán kàn bú xià qù le   shuō   bú jiù
婆 婆 显　然 看 不 下 去 了 ，说 ："不 就

shì yì diǎn chī de dōng xi ma   yǒu shén me dà bu liǎo
是 一 点 吃 的 东 西 嘛 ，有 什 么 大 不 了

de   míng míng sòng rén jiù sòng rén le bei   zài mǎi
的 [1]？ 茗　茗　送 人 就 送 人 了 呗 ，再 买

liǎng yàng xiāng tóng de bú jiù dé le   wǒ kàn míng
两　样　相　同　的 不 就 得 了 ？ 我 看 茗

ming zhè yàng zuò yě duì   zhè shì jī fú xíng shàn de
茗　这 样　做 也 对 。这 是 积 福 行　善 [2]的

shì   zhè shì zuò de duì   fó zǔ   kàn jiàn le kěn dìng
事 ，这 事 做 得 对 ！ 佛 祖 [3]看 见 了 肯 定

yào gāo xìng de
要 高 兴 的 ！"

gōng gong zhè shí yòu lā kāi wò shì mén dèng le
公　公　这 时 又 拉 开 卧 室 门　瞪 了

pó po yì yǎn   mà dào   nǐ dǒng shén me
婆 婆 一 眼 ，骂 道 ："你 懂　什 么 ！"

mǐn míng zài yí cì jīng è de kàn zhe gōng
闵　茗　再 一 次 惊 愕 地 看 着 公

gong   tā zěn me dāng zhe tā de miàn   mà qǐ le
公 ，他 怎 么 当　着 她 的 面 [4]骂 起 了

pó po   tā bà ba zài mā ma miàn qián cóng lái bú
婆 婆 ！她 爸 爸 在 妈 妈 面 前 从　来 不

huì zhè yàng
会 这 样 。

---

1 大不了的: (usu. used in negations or questions) not serious e.g. 这个病没什么大不了的，吃点药就会好的。

2 积福行善: do good deeds and accumulate happiness

3 佛祖: founder of Buddhism

4 当着...的面: in front of somebody

公公朝闵茗挥了一下手，说："去！立刻把那两盒吃的给我要回来！"闵茗吃惊地看着他。世上还有这样的人？她怎么会有这样的公公？就在那一刻，闵茗第一次怀疑[1]她对婚姻的选择。她觉得她太不了解军人的家庭，不了解军人了。

奶奶这时开了口："好了！要啥要？送出去的东西哪有再要回来的？我看茗茗在这事上没有错！"

闵茗说："我会给他的！"闵茗生气地走出了家门。她心想：师长先生，还有你梁智，我一定要还给你们！

1 怀疑: doubt

一个小时之后，闵茗已经回到
自己的娘家，站在了自己的爸妈面
前。妈妈看她愤怒的样子，赶紧问：
"出了什么事情？"闵茗什么也没
说，只叫妈妈赶紧给她两千块
钱。爸爸估计她有急事，便连忙从
皮包里掏出了两千元钱。她接过
钱转身就去了一家商店。她还记
得那盒点心和那盒巧克力的名字。
这两样东西一共是九十九块七
毛钱，她一下子买了十盒点心和十
盒巧克力。然后她就打的[1]把东西送
到了梁智家。她把那些东西一边
往客厅里搬，一边大声地朝梁
智叫："姓梁的，我现在以九倍的

1 打的: take a taxi

dōng xi huán gěi nǐ　　　shuō wán　　tā jiù qù wò shì
东 西 还 给 你！" 说 完，她 就 去 卧 室

li shōu shi zì jǐ de dōng xi　　zhè jiàn shì shì nà yàng
里 收 拾 自 己 的 东 西。这 件 事 是 那 样

de ràng mǐn míng tòng xīn　　tā jué de tā bù kě néng
的 让 闵 茗 痛 心¹，她 觉 得 她 不 可 能

zài yǔ zhè yàng de zhàng fu hé gōng gong shēng huó
再 与 这 样 的 丈 夫 和 公 公 生 活

zài yì qǐ le　　tā bì xū lì kè zǒu
在 一 起 了。她 必 须 立 刻 走！

pó po zuì xiān zǒu jìn tā hé liáng zhì de wò shì
　　婆 婆 最 先 走 进 她 和 梁 智 的 卧 室。

pó po shuō　　　míng ming　　nǐ xiāo xiao qì
婆 婆 说："茗 茗，你 消 消 气²。"

mǐn míng zhuǎn shēn duì pó po shuō　　　wǒ méi
　　闵 茗 转 身 对 婆 婆 说："我 没

fǎ xiāo qì　　wǒ zhǐ yào hái zài zhè ge jiā li jiù bú huì
法 消 气，我 只 要 还 在 这 个 家 里 就 不 会

xiāo qì　　　nǎi nai gēn zhe jìn lái zhuā zhù tā de shǒu
消 气！" 奶 奶 跟 着 进 来 抓 住 她 的 手

shuō　　míng ming　　nǐ bié zǒu　　nǎi nai yí huìr　　gěi
说："茗 茗，你 别 走，奶 奶 一 会 儿 给

nǐ chū qì　　wǒ yí dìng yào xùn　tā men
你 出 气³！我 一 定 要 训⁴他 们！"

mǐn míng yáo yao tóu shuō　　nǎi nai　　zhè jiàn shì
　　闵 茗 摇 摇 头 说："奶 奶，这 件 事

yǔ nǐ hé mā ma méi yǒu guān xi　　dàn zhè jiàn shì yě bú
与 你 和 妈 妈 没 有 关 系，但 这 件 事 也 不

shì nǐ néng bāng wǒ jiě jué de liǎo de　　wǒ bì xū zǒu
是 你 能 帮 我 解 决 得 了 的，我 必 须 走！"

1 痛心: distressed

2 消消气: calm one's anger
e.g. 你去向她道歉，让她消消气。

3 出气：vent one's anger
e.g. 你不高兴，也不应该拿我出气。

4 训：rebuke; give sb. a dressing-down
e.g. 晚上他爸爸训了他一顿。

梁智最后走了进来。他好像要说点什么，但又不知道怎么说好。他说："有些事你根本不懂。"

闵茗愤怒地拦住了他，吼道："我根本不想懂！你们是谁？为什么非要我去懂你们不可？"梁智看她拉着箱子真的要走，就拦在门口不让她走。闵茗立刻拿出手机[1]，说："我只给你五秒钟，五秒过后你不让我走，我立刻打110报警[2]。你不能限制我的自由！"梁智看她愤怒的样子，就让开了。

闵茗临出门时最后看了一眼师长。他面向窗外站着，看

---

1 手机: mobile phone

2 打 110 报警: dial 110 to call the police

bu jiàn tā de liǎn　dàn tā de hòu bēi réng rán gěi tā
不见他的脸，但他的后背仍然给她
yì zhǒng fèn nù de gǎn jué　mǐn míng zǒu chū le liáng
一种愤怒的感觉。闵茗走出了梁
jiā de mén　zài jiàn le　shī zhǎng xiān sheng
家的门——再见了，师长先生！

mǐn míng xīn xiǎng　shàng dì　yuán liàng wǒ
　闵茗心想：上帝，原谅我
jǐn jǐn zài qī shí wǔ tiān hòu jiù wéi bèi le dāng chū zài
仅仅在七十五天后就违背¹了当初在
jiào táng jǔ xíng hūn lǐ shí fā de shì yán　tā méi fǎ
教堂举行婚礼时发的誓言²。她没法
zài liáng jiā dāi xià qù le　tā bù néng ài liáng zhì yí
在梁家待下去了，她不能爱梁智一
bèi zi　tā yào lí hūn
辈子³，她要离婚！

dào le niáng jiā zhī hòu　bà mā yí kàn tā dài zhe
　　到了娘家之后，爸妈一看她带着
xíng li xiāng zi huí lái　jí máng zhuī wèn yuán yīn
行李箱子回来，急忙追问原因。
mǐn míng shuō　wǒ dāng chū zhēn bù gāi xuǎn zé liáng
闵茗说："我当初真不该选择梁
zhì nà yàng de nán rén zuò zhàng fu　xuǎn le nà yàng yí
智那样的男人做丈夫，选了那样一
ge jiā tíng dāng pó jia　wǒ yào huí lái　wǒ yào lí hūn
个家庭当婆家。我要回来，我要离婚！"
mā ma yì tīng　xiào le　wèn　xiǎo liǎng kǒu
　　妈妈一听，笑了，问："小两口
shì bu shì shēng qì le
是不是生气了？"

1 违背: violate

2 誓言: vow pledge
e.g. 你不应该随便
违背誓言。

3 一辈子: all one's life

妈妈的态度更让她生气，她说：
"你笑什么笑？有什么好笑的？"

妈妈这才收住笑，说："小两口一生气就要离婚，那像什么样子？天下哪有不生气的夫妻？我和你爸爸不也是吵了多少次，我们离婚了吗？结婚是两个原来陌生的人在一起生活，不可能不发生一点口角¹……"

闵茗说："我不仅仅是跟梁智生气，我还跟他的爸爸，跟那个师长生气。我讨厌他们！"

爸爸可能感到了事情的严重，问："究竟是怎么回事？你公公怎会惹你了？"闵茗让自己平

1 发生口角：quarrel; bicker with someone over something
e.g. 不要因为一点小事儿，就跟人家发生口角。

静下来,把事情的经过说了一遍。爸妈听后,半天都没有说话。她大声问:"你们说我该不该生气?"爸爸点点头说:"如果你说的这些都是事实,那么道理肯定在你这边。你应该生气,爸妈也站在你一边。"

闵茗说:"如果我说了假话[1],让我出门就遭车祸[2]。"爸爸叹口气说:"让我们等等梁家的解释。我想,他们会有解释的。"闵茗反对说:"我不等!我对他们已经讨厌透了。发生了这件事,我不可能再同他们生活在一起,我要立刻离婚!"她边说边拿起了电话。

1 假话: lie, falsehood

2 遭车祸: suffer traffic accident

妈妈按下了电话，问："你打算
干什么？"闵茗说："通知梁智
明天去和我办离婚手续。"妈妈拍
了拍她的手，说："还记得我在你的日
记本上写的那句话吗？处理事情
不要只凭¹情绪²。孩子，对待离婚的
事要特别慎重³。我们应该再等
一等。"

闵茗瞪着妈妈问："等什
么？"妈妈说："至少要等梁家的
一个电话。你这样离开梁家，他们
不会不来电话的。"

闵茗气呼呼地坐在沙发上，
说："好，我就等他们的电话。"

大约十几分钟以后，电话响

1 凭: based on
e.g. 凭着多年的经
验，他顺利地完成这
项工作。

2 情绪: emotion

3 慎重: careful

le　mā ma ná qǐ le huà tǒng　shì liáng zhì de shēng
了。妈妈拿起了话筒，是梁智的声
yīn　　mā ma　wǒ hé xiǎo míng zhī jiān fā shēng le
音："妈妈，我和小茗之间发生了
yì diǎn xiǎo wù huì　hěn bào qiàn　bǎ tā qì huí
一点小误会[1]，很抱歉，把她气回
jiā le
家了……"

mǐn míng pǎo guò qù duì zhe huà tǒng dà shēng
闵茗跑过去对着话筒大声
de hǒu　bú shì xiǎo wù huì　shì yuán zé wèn tí
地吼："不是小误会，是原则问题，
shì yào bu yào xíng shàn　yào bu yào guān xīn bié rén
是要不要行善，要不要关心别人
de dà shì qing　liáng zhì　wǒ cóng zhè jiàn shì shang
的大事情！梁智，我从这件事上
kàn tòu le nǐ hé nǐ bà de nèi xīn　nǐ men shì zì
看透了你和你爸的内心！你们是自
sī de
私[2]的……"

bà ba bǎ tā cóng huà tǒng qián tuī kāi　duì tā
爸爸把她从话筒前推开，对她
yáo yao tóu　ràng tā bú yào zài hǎn jiào
摇摇头，让她不要再喊叫。

mā ma duì zhe huà tǒng shuō　xiǎo zhì　nǐ hái
妈妈对着话筒说："小智，你还
yǒu shén me huà xiǎng shuō ma
有什么话想说吗？"

liáng zhì shuō　wǒ zhǐ xiǎng duì xiǎo míng dào
梁智说："我只想对小茗道

1 误会: misunderstand
e.g. 你误会了，我说
的不是这个意思。

2 自私: selfish
e.g. 他从不关心别
人，他很自私。

歉。另外，我还想问她一件事
情。"妈妈又把话筒给闵茗。

闵茗说："有话快说！"

梁智说："你能给我说一下你
送给她们东西的那个老太太和她孙
女的情况吗？"

闵茗说："你想干什么？再
去把那两盒东西要回来吗？你太
让我恶心[1]了！别说我不知道她们
的情况，我就是知道也不会告诉你
们。你们这些视钱如命[2]的东西，
我当初怎么会看上了你？！"

妈妈这时对着话筒说："小
智，我和茗茗她爸都认为，茗茗
在这件事上没有做错什么！"

1 恶心：feel nauseated

2 视钱如命：regard
money as one's life

梁智吞吞吐吐[1]地说："当然，只是……她是……"

闵茗一把从妈妈手里抢过话筒，说："梁智，明天上午，你八点准时赶到法院[2]，我要和你办理离婚手续！"她说罢就挂上了电话。她跟爸妈说她不想再跟这样的人啰唆[3]！

茗茗生着气吃晚饭。妈妈原来担心茗茗吃不下饭，茗茗却说："吃！我为什么不吃？我把自己从愚蠢[4]的婚姻中解放出来，我应该高高兴兴，我没有理由不吃饭！我要大吃！"闵茗吃得饱饱的，走进了她以前的卧房。可是过了

1 吞吞吐吐: hesitant in speech

2 法院: court

3 啰唆: be wordy

4 愚蠢: folly

一会儿，她就跑到卫生间把吃的东西全吐了出来。吐完之后，她伤心地趴在床上哭了，"上帝呀，我做错了什么事竟要这样惩罚[1]我？我每个礼拜都去教堂，我每天睡前都做祈祷[2]，我每顿饭前都在感恩[3]，我每过一段日子都要重温《圣经》[4]，可你为何让我遇上这样的婚姻？给我这样一个丈夫？送给我这样一个公公？我当初为什么就看不出梁家父子是什么样的人……"

就在闵茗伤心的时候，姥姥从西雅图打来电话。妈妈在电话里假装平静地说："茗茗很好，

1 惩罚: punish

2 祈祷: pray

3 感恩: feel grateful

4 圣经: *Bible*

tā hé tā de zhàng fu shēng huó de hěn kuài lè
她 和 她 的 丈 夫 生 活 得 很 快 乐。"
mǐn míng yì tīng jiù huǒ le   qiǎng guò diàn huà kū
闵 茗 一 听 就 火 了,¹ 抢 过 电 话 哭
zhe shuō   lǎo lao   mā ma zài shuō jiǎ huà   wǒ yào
着 说:"姥姥,妈妈 在 说 假 话,我 要
lí hūn   lǎo lao tīng hòu dà chī yì jīng   máng wèn
离 婚!" 姥姥 听 后 大 吃 一 惊, 忙 问
shì zěn me huí shì   mǐn míng kū zhe jiǎn dān de shuō
是 怎 么 回 事。闵 茗 哭 着 简 单 地 说
le shì qing jīng guò   lǎo lao tīng wán jiù bào yuàn
了 事 情 经 过,姥姥 听 完 就 抱 怨²
shuō   wǒ dāng chū jiù fǎn duì nǐ zài zhōng guó
说:"我 当 初 就 反 对 你 在 中 国
zhǎo zhàng fu   xiàn zài kě hǎo   bú dào sān ge yuè
找 丈 夫,现 在 可 好,不 到 三 个 月
de hūn yīn   zhēn shì yí dài bù rú yí dài   hǎo le
的 婚 姻,真 是 一 代 不 如 一 代! 好 了,
cā gàn yǎn lèi   bǎ lí hūn de shì chǔ lǐ hǎo   rán hòu
擦 干 眼 泪,把 离 婚 的 事 处 理 好,然 后
zuò fēi jī fēi huí lái   wǒ zài xī yǎ tú gěi nǐ chóng xīn
坐 飞 机 飞 回 来,我 在 西 雅 图 给 你 重 新
zhǎo ge zhàng fu   měi guó huá rén zhōng hǎo nán rén
找 个 丈 夫。美 国 华 人 中 好 男 人
duō de shì   bǎo zhèng ràng nǐ mǎn yì   mǐn
多 得 是, 保 证 让 你 满 意……" 闵
míng hěn hòu huǐ   yě xǔ tā dāng chū gāi tīng lǎo lao
茗 很 后 悔,也 许 她 当 初 该 听 姥 姥
de huà   tā de yǎn jing jiū jìng shì zěn me huí shì   zěn
的 话。她 的 眼 睛 究 竟 是 怎 么 回 事, 怎

1 一听就火了: As soon as Min Ming hears what her mother says to her grandmother, she gets angry. 火: (fig. v. & n.) be angry; rage; fury
e.g. 他火了。
e.g. 他发火了。

2 抱怨: complain
e.g. 自己做错了事赶紧改,不能抱怨。

me huì kàn cuò le rén ne
么 会 看 错 了 人 呢？

jiā li de mén líng xiǎng le   mā ma qù kāi mén
家里 的 门 铃 1 响 了。妈妈 去 开 门，

jiē zhe   mǐn míng jiù yòu tīng jiàn le pó po de shēng
接着，闵 茗 就 又 听 见 了 婆婆 的 声

yīn   dà mèi zi   wǒ lái kàn kan míng míng   zhè hái
音：“大妹子 2，我来看看 茗 茗。这孩

zi qì xing dà yīn wèi jǐ jù huà gēn liáng zhì hé liáng
子气性 3大，因为 几句话 跟 梁 智 和 梁

zhì tā bà shēng qì le   tā tīng jiàn mā ma ràng
智他爸 生 气了……”她 听 见 妈妈 让

zuò de shēng yīn   mǐn míng xiàn zài què shí méi xīn qíng
坐 的 声 音。闵 茗 现在 确实 没心情

zài gēn liáng jiā rén shuō huà   yú shì jí máng zài
再跟 梁 家 人 说话，于是 急 忙 在

chuáng shang tǎng xià   jiǎ zhuāng shuì zháo
床 上 躺 下，假 装 睡 着。

mā ma shuō   míng míng zhè hái zi pí qi juè
妈妈说：“茗 茗 这孩子脾气倔 4，

zhǐ yào tā rèn wéi duì de shì tā jiù huì qù zuò
只要她认为对的事，她就会去做。”

pó po shuō   míng míng jīn tiān zuò de shì yì
婆婆说：“茗 茗 今天做的事一

diǎn dōu méi cuò kàn zhe bié rén méi chī fàn   zì jǐ
点都没错。看着别人没吃饭，自己

shǒu shang yòu līn zhe chī de dōng xi   dāng rán yīng
手 上 又拎着吃的东西，当 然 应

gāi sòng gěi rén jia chī yào shì wǒ   wǒ yě huì zhè
该 送 给 人家吃。要是我，我也会这

1 门铃: doorbell

2 大妹子: Here Liang Zhi's mother calls Min Ming's mother "sister". It sounds intimate and friendly.

3 气性: temperament
气性大: hot-tempered

4 倔: obstinate, self-willed
e.g. 他的脾气很倔。
e.g. 这个老爷爷可真倔。

yàng zuò　liáng zhì tā bà hé liáng zhì píng rì yào shuō
样 做。梁 智他爸和 梁 智平日要 说
yě bú shì xiǎo qì　de rén　wǒ gāng cái chū mén zhī
也 不 是 小 气¹的 人。我 刚 才 出 门 之
qián　hái bǎ liáng zhì mà le yí dùn　zhēn bù zhī dào
前，还把 梁 智骂了 一顿²。真 不 知 道
zhè cì shì zǎ huí shì
这 次是咋回事……"

māma kàn lái zhēn de shēng qì le　yě tì mǐn míng
妈妈 看来真的 生 气了，也替闵 茗
shuō huà　zhè jiàn shì suī rán xiǎo　dàn tā gěi míng míng
说 话："这件事虽然 小，但它给 茗 茗
zào chéng de shāng hài kě yǐ diǎn yě bù xiǎo
造 成 的 伤 害³可以点也不小。"

pó po kǔ xiào zhe shuō　nà shì nà shì　wǒ qù
婆婆苦笑着说："那是那是，我去
kàn kan hái zi
看 看 孩子!"

mǐn míng tīng jiàn pó po zhè yàng shuō　jí
　　闵 茗 听见婆婆这样说，急
máng yòu bǎ yǎn jing bì shàng　pó po zǒu dào tā shēn
忙 又把 眼 睛 闭上。婆婆走到她身
biān shí　tā yǒu xiē jǐn zhāng　jiǎ zhuāng shuì zháo
边时，她有些紧张，假装睡着，
qī piàn pó po　shàng dì huì kàn jiàn de　tā kàn jiàn
欺骗婆婆。上帝会看见的，他看见
le huì bu huì guài zuì　tā
了会不会怪罪⁴她?

pó po dī shēng shuō zhe　hái zi shuì zháo
婆婆低声说着："孩子睡着

---

1 小气: stingy

2 骂了一顿: reproach sb.

顿:(classifier) of food, reproach, beating

e.g. 我说了他一顿。

3 伤害: harm, hurt

4 怪罪: blame

e.g. 这件事是我做的，不要怪罪别人。

了。"她边说边把手伸到闵茗的头上抚摸[1]着。妈妈可能就站在门边,她似乎不知说什么好。婆婆的手让闵茗感到了一种温暖。闵茗知道她不能流泪,可眼泪还是流了出来。她开始哽咽[2]了。婆婆轻轻地拍着她的身子,也可能从一开始就知道她没有睡着。婆婆低声说:"孩子,我知道你心里委屈[3],你就哭出来吧。不过有一点你应该放心,你做的善事佛祖都在看着,他知道你做了就行,他会把你做的善事都记下,他会让你得到好的回报。你不是去过洛阳的白马寺吗?白马寺的和尚[4]不是对你说过'善德有报'[5]嘛!

1 抚摸: stroke
e.g. 妈妈抚摸着女儿的头发。

2 哽咽: choke with sobs

3 委屈: feel wronged due to unjustified treatment
e.g. 得不到人们的理解,他感到很委屈。

4 和尚: monk

5 善德有报: Good deeds will be repaid.

你爸爸和梁智他们做得不对……"

妈妈后来把婆婆劝了出去。闵茗不知道婆婆是什么时候走的,她只是在不停地流泪,并在伤心中睡着了。

第二天早晨醒过来的时候,闵茗发现爸妈都已经坐在了她的床头。她慢慢坐起身,感觉到头很疼。妈妈说:"先洗洗脸吃点东西吧。"闵茗没有说话,呆呆地坐在那里。昨天发生的那些事又开始出现在脑子里。

爸爸声音很轻地说:"孩子,我和你妈妈商量了一下。我们觉得你和梁智的事情,还是要再考虑一下,

bú yào cōng cōng máng máng　qù chǔ lǐ　yīn wèi zhè
不要 匆 匆 忙 忙 ¹去 处 理。因为这
shì rén shēng dà shì　xū yào lǐ zhì de qù fēn xī　wǒ
是人 生 大事，需要理智²地去分析。我
hé nǐ mā ma rèn wéi　liáng zhì zhǐ shì zài zhè yí jiàn
和你妈妈认为，梁 智只是在这一件
shì shang zuò de bú duì　ér qiě yán gé de shuō　yě
事 上 做得不对，而且严格地说，也
bú suàn pǐn zhì shang de wèn tí　tā bú shì yí ge
不算品质 上 的问题，他不是一个
huài rén
坏人……"

　　　mǐn míng shuō　　bú shì huài rén jiù kě yǐ zuò
　　闵 茗 说："不是坏人就可以做
wǒ de zhàng fu
我的 丈 夫?!"

　　　bà ba shuō　　wǒ hé nǐ mā ma de yì si shì yào
　　爸爸说："我和你妈妈的意思是要
lǐ zhì de fēn xī yí xià
理智地分析一下。"

　　　mǐn míng shuō　　wǒ bù zhǐ fēn xī le yí xià
　　闵 茗 说："我不只分析了一下，
wǒ hái fēn xī le liǎng xià　sān xià　liáng zhì de fù qin
我还分析了 两下、三下。梁 智的父亲
jì rán shì nà yàng yí ge bù tōng qíng dá lǐ　de rén
既然是那样 一个不 通 情达理³的人，
ér liáng zhì chā bu duō hé tā fù qin yí yàng　wǒ zěn
而 梁 智差不多和他父亲一样，我怎
me kě yǐ hé tā men jì xù shēng huó zài yì qǐ　wǒ
么可以和他们继续 生 活在一起？我

1 匆匆忙忙: in haste

2 理智: reason

3 通情达理: sensible;
understanding and rea-
sonable

e.g. 这个老板是个通
情达理的人，他的工
人很喜欢他。

希望我的婚姻永远是一块纯净的白布，可是现在这块白布上粘了污迹[1]，我就只能把它扔掉！"爸爸叹口气说："孩子，婚姻这块白布也要经历世俗[2]生活的浸染[3]，不可能一直白下去，粘上一些污迹只要能洗掉就可以了。"

闵茗反问："这么说你和妈妈的婚姻也有过污迹了？"爸爸有些尴尬[4]，他可能没想到女儿会这么问。爸爸一时不知道怎么回答。过了一会儿，爸爸点点头。他说："我和你妈都是普通的人，我们不是天使、圣父、圣母[5]那样的神，不要把任何人，包括我们，想象得纯

1 污迹: smear, stain

2 世俗: common customs

3 浸染: soak and dye something

4 尴尬: embarrassed
e.g. 他不知道怎么回答这个问题，显得很尴尬。

5 天使、圣父、圣母: angel, Holy Father and Virgin Mary

jié wú xiá　bú yào bǎ wǒ men xiǎng xiàng de tè bié
洁无瑕[1]。不要把我们　想　象　得特别
hǎo　wǒmenliǎng ge jié hūn yǐ hòu　yě céngyīnwèi yì
好，我们　两个结婚以后，也曾因为一
xiē shìqingshēngguò qì　yě céngchǎoguò　nàoguò
些事情　生　过气，也曾　吵　过、闹过。"

　　mǐn míng shuō　　kě shì　wǒ jiù shì xī wàng wǒ
　　闵　茗　说："可是，我就是希望我
de hūn yīn bù zhān shàng wū jì　yǐ jīng zhān shàng
的婚姻不粘　上　污迹，已经粘　上
le　wǒ jiù nìng kě bǎ tā rēng diào
了，我就宁可把它扔　掉！"

　　bà ba qīng qīng de yáo le yáo tóu　shuō　wǒ
　　爸爸轻　轻　地摇了摇头，说："我
zhǐ shì bǎ wǒ hé nǐ mā ma de yì jiàn shuō gěi nǐ　nǐ
只是把我和你妈妈的意见　说　给你。你
zhī dào　wǒ men cóng lái bù qiǎng pò　nǐ zuò shén
知道，我们　从　来不　强　迫[2]你做什
me　zài nǐ gè rén de shēng huó wèn tí shang　wǒ
么。在你个人的　生　活问题上　，我
men cóng lái dōu shì ràng nǐ zì jǐ jué dìng　jì rán nǐ
们　从　来都是让你自己决定。既然你
rèn wéi wǒ men de jiàn yì méi yǒu dào lǐ　bù zhí de
认为我们的建议没有道理，不值得
kǎo lù　nǐ jiù wán quán kě yǐ àn nǐ zì jǐ de xiǎng
考虑，你就完　全可以按你自己的　想
fǎ qù bàn
法去办！"

　　mǐn míng kàn le kàn biǎo　hái bú dào bā diǎn
　　闵　茗　看了看表，还不到八点，

1 纯洁无瑕: chastity
and immaculacy

2 强迫: force
e.g. 个人的意见不要
强迫别人接受。

就说：“这就对了，不要管我的个人生活！现在我要先吃点饭，然后去离婚！”

妈妈拍拍她的肩，就去给她端饭了。

闵茗其实没有吃下去多少饭，只是用吃饭这个行动，来坚定自己去办理离婚手续的决心。吃了点东西之后，她就打的去了法院。

梁智还没有到。闵茗心里想：梁智！你害怕了？

她在法院里看到有三个法官[1]坐在那儿，一对男女已开始办理离婚手续。女的在哭。闵茗想：哭什么？离开他再找一个好的，天底下好

1 法官: judge

男人多得是！姥姥的话有道理。

中国的离婚手续还是麻烦，不

像美国，几分钟就可以办完。

"小茗，奶奶来了。"梁智的奶

奶忽然气喘吁吁[1]地拄着拐杖站

在了闵茗面前。闵茗一愣，说：

"你怎么来了？梁智呢？"

奶奶笑笑，说："奶奶想你了，

奶奶想先和你说说话。来，出来

在台阶[2]上坐下，别那么站着。看看，

头发乱了，早上没有好好梳吧？"

闵茗知道奶奶来是为了离婚的事。

闵茗问："说什么？"

奶奶说："小茗，你说句实话，

自打你进了梁家门以后，奶奶对你

1 气喘吁吁: breathe heavily

2 台阶: steps

怎么样？好还是不好？"

她答道："好。奶奶的确对我不错。可是不能因为你对我好，我就要维持¹这个婚姻！"

奶奶说："既然你承认奶奶对你好，你今天就给奶奶一个面子，让奶奶把想说的话说完。"闵茗没有说话。

奶奶问："自从咱们成为一家人以后，奶奶给你说过假话没有？"

闵茗回答："没有。"她不知道奶奶想要说什么。

奶奶说："我现在给你讲一件事情，你耐心听一听。有一年，我们老家那块地方春天大旱²，夏天

1 维持: keep, maintain
e.g. 他靠给别人打工维持生活。

2 大旱: drought

fā dà shuǐ　　yì lián liǎng ge　jì jié dōu méi yǒu shōu
发大水 ¹，一连 两 个季节都没有 收

dào liáng shi　ǎn men cūn li jiā jiā de rì zi dōu nán
到 粮 食。俺们村里家家的日子都难

guò　chūn jié　de shí hou　liáng zhì de bà ba huí lǎo
过。春节 ²的时候，梁智的爸爸回老

jiā guò nián　jiàn cūn li méi yǒu guò nián de xǐ qìng
家过年，见村里没有过年的喜庆 ³

yàng zi　jiù wèn wǒ shì zǎ huí shì　wǒ gěi tā shuō
样子，就问我是咋回事。我给他说

zāo zāi　tā qù cūn li zǒu le yì quān　huí lái duì wǒ
遭灾 ⁴。他去村里走了一圈，回来对我

shuō　mā　cūn li mǎi de qǐ ròu de rén jiā jǐ hū
说，'妈，村里买得起肉的人家几乎

méi yǒu　wǒ zhè cì huí lái dài le yìqiānbābǎi kuài
没有。我这次回来带了 1800 块

qián　yuán zhǔn bèi gěi nǐ bǎ chú fáng xiū yí xià　kàn
钱，原 准备给你把厨房修一下。看

le quán cūn rén guò nián de kě lián yàng zi　wǒ
了全村人过年的可怜样子，我

xiǎng míng nián zài gěi nǐ xiū fáng zi　'gěi nǐ liú diǎn
想 明年再给你修房子，'给你留点

qián guò rì zi　shèng xià de qián wǒ xiǎng qù jiē
钱过日子，剩下的钱我想去街

shang mǎi jǐ tóu zhū hé jǐ zhī yáng　bǎ zhè ge nián
上 买几头猪和几只羊，把这个年

huān huān xǐ xǐ de guò qù zài shuō　rú guǒ shuō
欢 欢喜喜地过去再说。'如果说

wǒ bù xīn téng　nà xiē qián shì jiǎ huà　wǒ dāng rán
我不心疼 ⁵那些钱是假话，我 当然

---

1 发大水: flood

2 春节: The Spring Festival, the 1st day of the 1st month of the Chinese lunar calendar, is the most important festival in China. 过春节 is same as 过年.

3 喜庆: happy
e.g. 他们选择了一个喜庆的日子结婚。

4 遭灾: suffer from calamity

5 心疼: make one's heart ache
e.g. 昨天小偷把他的钱包偷了，他丢了那么多的钱，真是心疼死了。

知道那是儿子一点一点地节省下来的，可我觉得他说得有道理，就点头了。他找了几个村里的年轻人跟他上街，一下子买了三头猪和五只羊。当时村里的人还不知道他买这么多猪、羊干什么，好多人围过去看热闹。他找了几个人把猪、羊杀了，把猪肉和羊肉收拾好，然后把全村人都叫来，对他们说，'爷爷、奶奶、婶子、大伯、兄弟姐妹们，我是你们看着长大的。我在外面当兵[1]当了多年，今儿个回来给你们买了点肉过年，表示一点心意[2]。每家来一个人，领回去二斤猪肉、二斤羊

1 当兵: join the army

2 心意: kindly feel-ings; regard

ròu bāo jiǎo zi
肉包饺子¹。'那一年家家都分到了

ròu　chūn jié guò de hěn xǐ qìng　wǒ gēn nǐ jiǎng zhè
肉，春节过得很喜庆。我跟你讲这

jiàn shì shì xiǎng gào su nǐ　liáng zhì tā bà bú shì yí
件事是想告诉你，梁智他爸不是一

ge xiǎo qì guǐ　tā nà tiān gēn nǐ fā pí qi　wǒ yě
个小气鬼²，他那天跟你发脾气，我也

jué zhe qí guài　nǐ huí niáng jia hòu wǒ mà le liáng
觉着奇怪。你回娘家后我骂了梁

zhì tā bà hé liáng zhì　nǎi nai wǒ xī wàng nǐ duō kǎo
智他爸和梁智。奶奶我希望你多考

lǜ kǎo lǜ zài shuō hé liáng zhì lí hūn de shì　hūn yīn
虑考虑再说和梁智离婚的事。婚姻

shì dà shì　méi yǒu tè bié bù dé liǎo de shì　yì bān
是大事，没有特别不得了³的事，一般

bù lí hūn　rú guǒ xiàn zài liáng zhì tā zài wài miàn
不离婚。如果现在梁智他在外面

yǒu le bié de nǚ rén　huò zhě tā dǔ bó　huò zhě shì
有了别的女人，或者他赌博⁴，或者是

xī dú　nǐ yào tí chū lí hūn　nǎi nai shì bú huì quàn
吸毒⁵，你要提出离婚，奶奶是不会劝

nǐ de　kě rú jīn wèi zhè diǎn xiǎo shì jiù nào lí hūn
你的!可如今为这点小事就闹离婚，

nǎi nai jiào de tài kě xī　suǒ yǐ nǎi nai lái zhǎo nǐ
奶奶觉得太可惜⁶。所以奶奶来找你，

kàn nǐ néng bu néng zài xiǎng xiang hé liáng zhì lí hūn
看你能不能再想想和梁智离婚

de shì
的事。"

---

1 饺子: a kind of dumpling
In some parts of China, it is one of the main foods of the Spring Festival.

2 小气鬼: miser

3 不得了: extremely serious
e.g. 这项工作非常重要，万一出了问题，可是不得了。

4 赌博: gambling

5 吸毒: take drugs

6 可惜: pity

nǎi nai de huà ràng mǐn míng xīn dòng le yí
奶奶的话让闵茗心动了一
xià yě xǔ tā yīng gāi zài xiǎng xiang
下,也许,她应该再想想?
mā ma kàn jiàn mǐn míng huí dào jiā shén me
妈妈看见闵茗回到家,什么
dōu méi yǒu wèn zhǐ shì gěi tā duān lái le yì bēi
都没有问,只是给她端来了一杯
shuǐ tā jué de yīng gāi gěi mā ma shuō míng qíng
水。她觉得应该给妈妈说明情
kuàng tā shuō liáng zhì méi qù mā ma hái shi
况。她说:"梁智没去。"妈妈还是
méi shuō shén me zhǐ shuō nǐ xiū xi ba mǐn
没说什么,只说:"你休息吧。"闵
míng tǎng zài chuáng shang bù yóu de xiǎng qǐ le
茗躺在床上,不由得想起了
liáng zhì liáng zhì què shí bú shì ge huài zhàng fu
梁智。梁智确实不是个坏丈夫。
gēn tā zǒu zài yì qǐ tā de shēn gāo hé qì zhì dōu
跟他走在一起,他的身高和气质¹,都
ràng mǐn míng yǒu yì zhǒng shí fēn zì háo de gǎn
让闵茗有一种十分自豪²的感
jué zài jiù shì tā zhī dào guān xīn rén dǒng de shén
觉。再就是他知道关心人,懂得什
me shí hou gěi tā duān bēi kā fēi shén me shí hou gěi
么时候给她端杯咖啡,什么时候给
tā dì ge máo jīn hái yǒu jiù shì tā néng zài mǐn míng
她递个毛巾。还有就是他能在闵茗
gōng zuò yù dào nán tí shí bāng zhù tā zài tā yù dào
工作遇到难题时帮助她,在她遇到

1 气质: quality

2 自豪: pride

计算机病毒[1]时帮她处理，在她写
文章时帮她修改。再就是他在
床上的那种顽皮[2]也让人喜
欢。再仔细想想，这次惹她生气
的，其实主要不是梁智而是他的父亲。
要恨，也应该恨他的父亲……

　　闵茗想着想着，就不知不觉
睡着了。大概生气也会使人疲劳，
她这一睡竟是九个小时，醒来时已是
傍晚了。妈妈说："看你睡得香，
中午也就没喊你。这会儿饿了吧？
快去吃点东西，一会儿我和你爸爸
去听音乐会。我们希望你也能去。"
　　闵茗明白妈妈和爸爸的用
心[3]，他们想用这种办法来改

1 计算机病毒: computer virus

2 顽皮: willful, naughty

3 用心: thoughtful intention

shàn tā de xīn qíng　　ràng tā kuài lè qǐ lái　　tā
善她的心情，让她快乐起来。她
diǎn tóu shuō xíng
点头说行。

　　yīn yuè què shí yǒu gǎi shàn qíng xù de zuò
　　音乐确实有改善情绪的作
yòng　　yīn yuè hǎo xiàng shǐ mǐn míng huí dào le niǎo
用，音乐好像使闵茗回到了鸟
yǔ huā xiāng de shān pō shang　　tā sì hū huí dào le
语花香¹的山坡上，她似乎回到了
zhèng cháng zhuàng tài　　cóng yīn yuè tīng huí jiā de
正常状态。从音乐厅回家的
lù shang　　tā yǐ jīng zài xīn li zuò le jué dìng　　zàn
路上，她已经在心里作了决定，暂
shí bù cuī liáng zhì qù bàn lí hūn shǒu xù　　tā yě bú
时不催梁智去办离婚手续，她也不
zài qù yín háng shàng bān　　xiān zài niáng jia zhù xiē rì
再去银行上班，先在娘家住些日
zi　　rèn zhēn kǎo lǜ kǎo lǜ hé liáng zhì lí hūn de shì
子，认真考虑考虑和梁智离婚的事。

　　zài niáng jia zhù le jǐ tiān　　mǐn míng bú duàn
　　在娘家住了几天，闵茗不断
fēn xī hé fā xiàn zì jǐ nèi xīn shēn chù hái yǒu méi
分析和发现自己内心深处还有没
yǒu zài huí dào liáng jiā de yuàn wàng　　fēn xī de jié
有再回到梁家的愿望。分析的结
guǒ shǐ tā yǒu xiē liǎn hóng　　tā fā xiàn tā bù jǐn qī
果使她有些脸红，她发现她不仅期
wàng huí dào liáng zhì de shēn biān　　ér qiě zài àn àn
望回到梁智的身边，而且在暗暗

1 鸟语花香：birds
sing and flowers exude
fragrance

想他。尤其是在早晨，这种愿

望最强。婚后的那些日子，每天

早晨醒来时她都能看到梁智的

笑脸。现在的早晨她总是一人独

坐床头，无精打采[1]，不想起

床。她已经在悄悄想着回梁家

的条件了。现在梁家的四个人里已

有三个人来向她道歉，如果公

公也能向她道歉，她就可以原

谅这件事。

　　星期天的早晨，她跟爸妈去教

堂做礼拜。三个人一起向教堂门

口走时，她忽然想起了上个礼拜

天在这里把两盒吃的东西交给那

位老人和她孙女的情景。谁能想

1 无精打采: in low
spirit; listless

到，那样一件小事，竟会在她的生活里掀起如此大的波浪[1]。在那天的礼拜中，神父[2]说："在未来，穷人、痛苦的人将得到他们应该得到的一切；他们的需要都会得到满足，一切有罪[3]的人都会得到原谅。甚至对于那些重大的罪人，上帝也应赦免[4]他们……"

　　闵茗和爸妈走出教堂的时候，她的心情很轻松。就在这时，闵茗看到了梁智，他正迟疑[5]地向教堂门口走来。在闵茗看到梁智的那一刻，她马上就想走过去跟他说话。她猜想梁智是来找她的，他知道她每个礼拜天都来教堂，所以

1 波浪: wave

2 神父: priest

3 罪: sin, crime

4 赦免: remit

5 迟疑: hesitate
e.g. 别迟疑了，快走吧！
e.g. 他迟疑了一会儿，才接着说下去。

tè yì gǎn dào zhè li lái jiē tā　mǐn míng xīn xiǎng
特意赶到这里来接她。闵 茗 心 想：
nǐ hái bú cuò　zhī dào zěn yàng bù shāng wǒ de zì
你还不错，知道怎样不伤我的自
zūn xīn　dàn nǐ bì xū ràng nǐ bà ba xiàng wǒ dào
尊心¹。但你必须让你爸爸向我道
qiàn bà mā xiǎn rán yě kàn dào le liáng zhì　tā men
歉！爸妈显然也看到了梁智，他们
huí tóu kàn le mǐn míng yì yǎn　tā men xiǎng ràng
回头看了闵茗一眼。他们想 让
tā liú xià tóng liáng zhì shuō huà　cháo tā huī hui shǒu
她留下同梁智说话，朝她挥挥手
jiù kāi chē zǒu le　mǐn míng děng zhe liáng zhì xiàng
就开车走了。闵茗等着梁智向
tā zǒu lái　kě ràng tā gǎn dào jīng qí de shì　tā de
她走来，可让她感到惊奇的是，他的
yì shuāng yǎn jing zhǐ shì cháo tā kàn le yí xià
一双 眼睛只是朝她看了一下，
xiàng tā diǎn le yí xià tóu　jiù bú zài kàn tā le
向她点了一下头，就不再看她了。
liáng zhì yì zhí kàn zhe jiào táng mén kǒu　tā yǒu xiē
梁智一直看着教堂门口，她有些
jīng yà　tā zài kàn shén me　jiù zài zhè shí　tā fā
惊讶²：他在看什么？就在这时，她发
xiàn shén fù cóng jiào táng li zǒu le chū lái　tā zài
现神父从教堂里走了出来，他在
xiàng jiào tú men huī shǒu gào bié　liáng zhì zhè shí lì
向教徒们挥手告别。梁智这时立
kè xiàng shén fù zǒu guò qù　tā gèng jiā jīng yà　tā
刻向神父走过去。她更加惊讶：他

1 自尊心: self-esteem

2 惊讶: surprised

shì yí ge bú xìn jī dū jiào de rén　tā zhǎo shén fù gàn
是一个不信基督教的人，他找 神父干

shén me　tā bù yóu de gēn le guò qù
什么？她不由得跟了过去。

shén fù kàn jiàn liáng zhì cōng cōng máng máng
　　神父看见梁智匆匆忙忙

de yàng zi　wèn dào　xiān sheng　wǒ néng wèi nǐ
的样子，问道："先生，我能为你

zuò diǎn shén me
做点什么？"

liáng zhì shuō　shén fù　wǒ xiǎng wèn yí
　　梁智说："神父，我想问一

xià　jīn tiān yǒu méi yǒu rén lái jiào táng sòng huán
下，今天有没有人来教堂送还

shén me dōng xi
什么东西？"

shén fù gǎn dào hěn yì wài　yáo zhe tóu
　　神父感到很意外，摇着头，

shuō　sòng huán dōng xi　méi yǒu　méi yǒu rén
说："送还东西？没有，没有人

lái sòng huán rèn hé dōng xi　nǐ de yì si shì
来送 还任何东西。你的意思是……"

liáng zhì shuō　wǒ zhǐ shì suí biàn wèn wen
　　梁智说："我只是随便问问。

wǒ qī zi qián bù jiǔ zài zhèr　sòng gěi rén yì diǎn
我妻子前不久在这儿送给人一点

dōng xi　wǒ xiǎng kě néng yǒu rén　suàn le
东西，我想可能有人……算了，

zhè shì wǒ de diàn huà　rú guǒ zhēn yǒu rén lái sòng
这是我的电话，如果 真有人来送

还 什么，麻烦 通 知 我 一 声 。"在他
向 神父 递 名 片[1]的 时候，闵 茗 已
经 明 白 了 他 的 意思：他 在 期盼 那个 老
人 和 孙 女 能 来 送 还 她 送 给 她们 的
东 西。怎么 还 有 这 样 的 人？她 刚
才 的 那份 好 心 情 一下子 被 风 刮 走
了。她 心 想：我 决 不会 同 他 和 好，他
太 让 我 恶 心 了。当 梁 智 来 找 闵
茗 时，她 已经 快 步 向 远 处 走 去。

梁 智 追 了 过 来，说："干吗 走
得 这么 快？"

闵 茗 没 有 理 他，她 已经 没 有
了 和 他 说 话 的 心 情。这 样 一 个 人，
她 当 初 怎么 会 爱 上 了 他？梁智
跑 到 她 面 前，笑 着 拦 住 了 路，

1 名片: calling card

shuō wǒmen wèi shén me bù kě yǐ hǎo hāo tán tan
说："我们为什么不可以好好谈谈？"
mǐn míng zhǐ hǎo tíng xià yīn zhe liǎn shuō wǒmen
闵茗只好停下，阴着脸[1]说："我们
shì gāi tán tan wǒ nà tiān gēn nǐ shuō hǎo de yào nǐ dào
是该谈谈。我那天跟你说好的要你到
fǎ yuàn bàn lí hūn shǒu xù nǐ wèi shén me bú qù
法院办离婚手续，你为什么不去？"
liáng zhì shuō gàn má yì tán jiù yào tán lí hūn wǒ
梁智说："干吗一谈就要谈离婚？我
men jiù bù néng tán diǎn bié de
们就不能谈点别的？"

mǐn míng shuō zài wǒ gāng cái qīn yǎn kàn
闵茗说："在我刚才亲眼看
jiàn le nǐ zuò de shì zhī hòu wǒmen méi yǒu shén me
见了你做的事之后，我们没有什么
kě yǐ tán de le
可以谈的了！"

liáng zhì shuō wǒ gāng cái méi zuò shén me
梁智说："我刚才没做什么
ya wǒ zhǐ shì suí biàn wèn wen shén fù wǒ shì zhè
呀？我只是随便问问神父。我是这
yàng cāi xiǎng de nǐ bāng zhù guò de nà wèi lǎo tài
样猜想的，你帮助过的那位老太
tai yě xìn jī dū tā zài huò de le bāng zhù zhī hòu
太也信基督，她在获得了帮助之后，
hěn kě néng huì duì jiào táng chōng mǎn gǎn jī yě
很可能会对教堂充满感激，也
xǔ huì zuò diǎn shén me
许会做点什么……"

1 阴着脸: with a sullen look

闵茗说:"你想叫她做什么?要她作出回报?我们基督徒做事,从来不要求什么回报……"

梁智说:"好了,我们不谈这个问题。我现在很关心你的身体,你的身体怎么样?不要再生气了,身体要紧!"

闵茗说:"我的身体不用你来操心!我现在只要求你明天和我一起去办离婚手续!明天,你要记住!现在给我滚开[1]!滚!"

梁智的脸色[2]一下子变了,好像要发火。闵茗想:好,你发火呀,我正想跟人吵架呢,我正等着哩!

1 滚开:(a term to curse sb.) get away; go to the hell

2 脸色: facial expression

e.g. 听了这句话,他的脸色变得很难看。

梁智摇了摇头，说："明天不行。明天我得去医院照顾父亲。"他的声音很低，看来他是控制住了自己的火气。

闵茗感到很意外，他病了？在她的印象里，梁智的父亲是一个强壮[1]的人。从她进入梁家起，还没有见他生过病哩。

梁智说："你走的当天晚上，他就住院了。"

闵茗问："哦？是什么病？"尽管她不想再做他的儿媳，可他现在是病人，她应该关心。

梁智说："心脏不太好，已经抢救[2]过一次。不过现在已经平稳[3]了。"

1 强壮: strong

2 抢救: rescue

3 平稳: stable, safe

闵茗心想，但愿他的病不是因为她而引起的。要是那样的话，她在上帝面前就有罪了。要是师长因为她而生病住院，她就必须到教堂去忏悔[1]。

她没有再和梁智提离婚的事，只是慢慢地转身往家走了。

爸妈和闵茗是在第二天上午去医院看望师长的。爸妈坚决要求她和他们一起去。爸爸说："即使你和梁智离了婚，也应该去看人家一趟，毕竟[2]他做过你的公公，何况[3]现在还没离婚呢。"她不能再说别的，否则上帝听见了也不会高兴。闵茗老老实实地跟着爸妈去了医院。

1 忏悔: confess

2 毕竟: after all
e.g. 不要怪罪他，他毕竟是个孩子。

3 何况: (used in rhetorical questions) rather than; let alone
e.g. 那么多的困难都解决了，何况这个小问题？

婆婆和梁智都在病房里。梁智

看见闵茗，很紧张。他拉着闵茗

的手来到走廊上，低声说："希

望你在病房里别再说那件事，爸爸

不能激动。我同意和你离婚，千万

别再闹！"

闵茗听到他同意离婚的话，

心里说不清楚是高兴还是空落¹。

她回到病房时，看见师长正坐

在病床上和爸妈说话，他的气

色²很差。他说："病已经好了，下午

就可以出院，谢谢你们来看我。"在

说了一些问候的话之后，师长把

目光转向闵茗，努力笑了笑

说："小茗，我想单独和你说说

1 空落: feel empty as if something is missing

2 气色: color, complexion

huà kě yǐ ma
话 ，可以吗？"

　　bà mā duì shī zhǎng de zhè ge yāo qiú yě yǒu xiē
　　爸妈 对 师 长 的 这 个 要 求 也 有 些
yì wài tā men dōu kàn le nǚ ér yì yǎn bú guò tā
意外。他们 都 看 了 女 儿 一 眼 ，不 过 他
men suí hòu jiù hé pó po liáng zhì yí kuàir chū
们 随 后 就 和 婆 婆 、梁 智 一 块 儿 出
qù le
去 了 。

　　mǐn míng wàng zhe qiáng jiǎo děng zhe tā kāi
　　闵 茗 望 着 墙 角¹，等 着 他 开
kǒu tā gū jì tā shì yào bào yuàn tā tā zài xīn li
口 。她 估 计 他 是 要 抱 怨 她 ，她 在 心 里
xiǎng shàng dì kàn zài tā shì bìng rén de miàn zi
想 ：上 帝 ，看 在 他 是 病 人 的 面 子
shang wǒ zhǐ tīng jí shǐ tā yào mà wǒ wǒ yě bù
上 ，我 只 听 ，即 使 他 要 骂 我 ，我 也 不
fǎn bó
反 驳²。

　　bà ba shuō xiǎo míng sān shí duō nián
　　爸爸 说 ："小 茗 ，三 十 多 年
qián yǒu yí ge nóng cūn qīng nián dāng le bīng
前 ，有 一 个 农 村 青 年 当 了 兵 。"

　　mǐn míng yí lèng tā shuō zhè xiē gàn má
　　闵 茗 一 愣 ：他 说 这 些 干 吗 ？

　　bà ba jiē zhe shuō nà qīng nián hěn zhēn xī
　　爸爸 接 着 说 ："那 青 年 很 珍 惜³
zhè ge jī huì jué xīn gàn chū yì fān shì yè tā dāng
这 个 机 会 ，决 心 干 出 一 番 事 业⁴。他 当

1 墙角：corner of the room

2 反驳：refute

3 珍惜：cherish

4 一番事业：achieve-ments

过班长、排长、副连长、连长、副营长、营长、副团长、团长，最后当上了师长。[1]"

闵茗想：他在说他自己，但为什么说这些经历呢？

他接着说："当上了师长之后，他已经五十来岁。作为一个农村的孩子，有了这样的经历，他应该满足了。但他却不满足，还想当一个将军。他特别想以一个将军的身份回到老家。他觉得那是一份光荣，他在做这样的梦。但他知道，要实现他的梦想非常难，竞争[2]十分激烈。在经过几次的失败之后，他差不多已经放弃了。他已经作

1 These are the titles of ranks in the army.

2 竞争: competition

好了退休¹的准备，准备当爷爷。他
甚至悄悄买了一辆婴儿车²，当
孙子或孙女出生以后，推着婴儿
车来打发时光³。有一天，他看见隔
壁的邻居推着婴儿车从门前经
过，他急忙走出来看婴儿，先是
看了一会儿，随后就抱起了婴儿，
想亲一下婴儿的脸，结果把那婴儿
吓得哇哇大哭。"

　　闵茗看着他，他的脸上露出
了一丝少有的笑容。

　　他接着说："出人意料的是，上级
又突然派人来考核他⁴，说军里有一个
将军的位置，他还有可能被提升为
将军。这使师长心头一震⁵——这么

1 退休: retire

2 婴儿车: baby car-
riage

3 打发时光: kill time

4 考核: examine and
inspect (his work); ap-
praise

5 心头一震: shocked

shuō hái yǒu kě néng chéng wèi jiāng jūn
说还有可能 成 为 将 军?"

mǐn míng hū rán xiǎng qǐ tā qǐn shí bù ān de
闵 茗 忽然 想 起他寝食不安¹的

nà xiē rì zi
那些日子。

tā jiē zhe shuō tā xīn li yǒu xiē huāng luàn
他接着 说:"他心里有些 慌 乱。

zài yì tiān wǎn fàn hòu tā dǎ tōng le yí wèi shóu rén
在一天 晚饭后,他打通了一位 熟人

de diàn huà wèn yí wèn kǎo hé de qíng kuàng nà
的 电话,问一问考核的情 况。那

wèi shóu rén shuō nǐ gěi kǎo hé zǔ de yìn xiàng bú
位 熟人说,'你给考核组的印 象不

cuò dàn nǐ zhī dào xiàn zài de shì qing bàn qǐ lái
错,但你知道,现 在的事 情 办起来

hěn fù zá tā men yě kǎo hé guò qí tā jǐ wèi shī
很复杂。他们也考核过其他几位师

zhǎng nǐ hái bù yí dìng néng tā fàng xià
长 ,你还不一定 能……'他放下

diàn huà dāi zuò zài nà li tā míng bai dà jiā dōu zài
电话,呆坐在那里。他明白大家都在

jìng zhēng jiāng jūn de wèi zhì yǒu rén yào pǎo dào
竞 争 将 军的位置,有人要跑到

shàng jí qù huó dòng zì jǐ yě qù huó dòng ma
上 级去活 动。自己也去活 动吗?

tā yí yè méi shuì hǎo tā jīng guò fǎn fù kǎo lǜ zhī
他一夜没睡 好。他经过反复考虑之

hòu yù wàng shèng lì le tā jué dìng qù zhǎo rén
后,欲望²胜利了。他决定去找人。

1 寝食不安: unable to sleep and eat peacefully

2 欲望: desire

他收起自尊心，去买了礼物——金项链、钻石戒指[1]等等。可他在晚上去找熟人的时候，走到楼前，却没有勇气走进熟人家的门。后来，还是他的儿子给他出了个主意：把礼物放进食品盒里，让闵茗把礼物送去。"

闵茗突然一震，说："你是说，那手提袋有……"

他没说话，好像已经没有力气说下去了。

闵茗惊讶地望着他。

他慢慢起身从床头下边拿出了一个手提袋，问："你还认识它吗？"

1 金项链、钻石戒指: gold necklace and diamond ring

闵茗一看，这不就是那天在教堂门口送给那个老太太和孙女的那个手提袋吗？它怎么会……

他接着说："它是我人生的耻辱[1]，所以我特别害怕它的丢失。当我听说你把它送人之后，你不知道我是多么恐惧和惊慌[2]。如果大家知道了我的这些事，我觉得我就没有脸做人了，所以我失去理智地骂你。现在你知道我为什么那样对你了吧？"

闵茗呆呆地看着他。

他接着说："就在昨天晚上，教堂的神父打电话让梁智去，说有一个老太太要送还一样东西。我知道梁智这些天为了保住这

1 耻辱: shame

2 恐惧和惊慌: dread and alarm

ge mì mì   yì zhí zài xún zhǎo nà ge lǎo tài tai   tā
个 秘 密，一 直 在 寻 找 那个老太太。他
jiàn dào nà lǎo tài tai shí   lǎo rén shuō   tā de sūn nǚ
见 到 那老太太时，老人 说，她的孙女
yīn wèi shě bu de   yí xià zi bǎ nà xiē hǎo chī de dōng
因 为 舍不得¹一下子把那些好吃的东
xi chī wán   zhí dào zuó tiān cái fā xiàn le hé zi li
西吃完，直到昨天才发现了盒子里
hái yǒu bié de dōng xi   lǎo rén shuō   tā men bù néng
还有别的东西。老人说，她们不能
liú xià nà me guì zhòng de lǐ wù   suǒ yǐ tā yòu dào
留下那么贵重的礼物，所以她又到
le jiào táng   xī wàng zhǎo dào nǐ   lǎo rén bǎ dōng
了教堂，希望找到你。老人把东
xi tuì huán gěi liáng zhì shí   hái tè yì gào su liáng
西退还给梁智时，还特意告诉梁
zhì   zhè jiàn shì tā shéi yě méi shuō   lián shén fù yě
智，这件事她谁也没说，连神父也
bù wán quán míng bai   kě wǒ   què fēi cháng yuàn yì
不完全明白。可我，却非常愿意
bǎ suǒ yǒu zhè xiē dōu gào su nǐ   ràng nǐ zhī dào   wǒ
把所有这些都告诉你，让你知道，我
shì yí ge líng hún bù gàn jìng de rén   lái   kàn kan zhè
是一个灵魂²不干净的人。来，看看这
xiē céng jīng zhé mó guò wǒ men de dōng xi
些曾经折磨过我们的东西！"
　　　　tā biān shuō biān cóng tí dài li tāo chū le lǐ
　　　他边说边从提袋里掏出了礼
wù hé yì fēng xìn
物和一封信。

1 舍不得: hate to part with

e.g 这位老师舍不得离开他喜欢的学生。

2 灵魂: soul

他说:"你也可以看看那封信。我想告诉你的就是这些。我想了这么多天才决定告诉你这一切。我知道你可能看不起我,你不可能理解我,因为我们之间隔着上帝,就像我和我的母亲之间隔着祖师爷一样。我的母亲在知道这一切之后,抱怨我为什么不想着进入仙境,而只想着这些破事[1];梁智的妈妈和我之间隔着佛祖,她抱怨我为什么不把希望留待来生。可我还是想告诉你,因为你是我喜欢的孩子。我不是一个值得你尊敬[2]的公公,但我做到了坦率[3]。我特别想告诉你,尽管我非常希望你能继续和我们生活

1 破事: in this context it means evil things
破, (derogetory of sth. or sb.) lousy, shabby

2 尊敬: respect

3 坦率: frank

zài yì qǐ   jǐn guǎn liáng zhì fēi cháng ài nǐ   kě shì
在一起。尽 管 梁 智 非 常 爱你，可是
wèi le bù shǐ nǐ tòng kǔ   wǒ yǐ jīng quàn liáng zhì
为了不使你 痛 苦，我已经 劝 梁 智
tóng yì hé nǐ lí hūn   xiàn zài nǐ bú yòng zài dān xīn
同 意和你离婚。现 在你不用 再 担 心
tā bú qù bàn lí hūn shǒu xù le   nǐ jué dìng le shí
他不去办离婚 手 续了。你决定了时
jiān gào su tā jiù xíng le   tā huì àn shí qù de   hái
间 告诉他就 行 了，他会按时去的。孩
zi   nǐ xiàn zài kě yǐ zǒu le   zǒu ba   hái zi   nǐ kě
子，你现在可以走了。走吧，孩子，你可
yǐ zǒu le
以走了!"

　　kě shì mǐn míng méi yǒu zǒu   ér shì liú zhe yǎn
　　可是闵 茗 没有走，而是流着眼
lèi   hǎn le yì shēng   bà ba
泪，喊了一 声 :"爸爸……"

　　mǐn míng zài dāng tiān xià wǔ zǒu jìn jiào
　　闵 茗 在 当 天下午走进教
táng   jìng jìng de jiào táng li zhǐ yǒu shén fù yí ge
堂，静 静 的教 堂 里只有 神 父一个
rén   tā méi yǒu shuō huà   jìng zhí zǒu xiàng chàn
人。他没有 说 话，径直走 向 忏
huǐ shì   shuō ba   hái zi   shàng dì suí shí zhǔn bèi
悔室，"说 吧，孩子，上 帝随时准备
qīng tīng   tā de hái zi men de chàn huǐ   tā dī
倾 听¹他的孩子们的 忏 悔。"她低
shēng shuō   wǒ fàn le zuì   wǒ wàng le yīng gāi
声 说："我犯了罪，我 忘 了应 该

1 倾听: give ear to; lis-
ten to

去理解尘世[1] 上 的 人……"

这一天的晚饭后，闵茗主动提出回梁家。爸妈坚持要送她，爸爸亲自开车。在梁家门口，爸爸和妈妈相继轻拍了一下她的手。妈妈说："上帝会宽恕[2]你的。"爸爸朝她点点头，她就转身去推门了。

坐在客厅里的梁家一家人对闵茗的突然出现都很意外。他们几乎同时站起来了，呆呆地看着她，梁智手中还握着电视的遥控器[3]。是奶奶最先看明白了。奶奶朝梁智叫道："梁智，还不赶紧把茗茗领到你们屋里歇歇？"

闵茗已经忘了和梁智是怎么

1 尘世: earthly; earthliness

2 宽恕: forgive

3 遥控器: remote control; telecontrol

回到 床 上 的。她现在还能记得
的是，梁智扑进她的怀 中 说的第一
句话是："对不起，我……"可闵茗没
让他说下去…… 梁智又渐渐地恢
复了过去的那种 顽皮。他习惯性
地去摸枕头下的避孕套。这时，闵
茗 抓住了他的手。梁智有些意
外，轻声解释："这还是我们过去
用 剩下的，质量没有问题。"闵
茗对着他的耳朵说："傻瓜¹，不必
用了，因为我想怀个孩子……"

---

1 傻瓜: fool

This story is an abridged version of Zhou Daxin's novella 浪进船舱 selected from 2002 年中国争鸣小说精选,which is published by Changjiang Wenyi Publishing House（长江文艺出版社）, Wuhan, 2003. The story is also available on the Internet.

About the Author Zhou Daxin（周大新）：

Zhou Daxin is one of the most noteworthy contemporary Chinese writers and a member of the China Writers Association. He is now a writer in the People's Liberation Army in Beijing. He was born in 1952 in the countryside of Dengzhou, Henan Province. He lived in the countryside until he joined the army in 1970. Having studied at the Lu Xun Literature College（鲁迅文学院） in Beijing, he began to publish his works in 1982. He is a prolific writer and has already published about five million words, including novels such as 第二十幕, 走出盆地, 金色麦田；and novellas such as 向上的台阶, 银饰. Though he is a writer in the army, most of his works describe the life and scenery in the countryside, as he has profound feelings for his hometown. His works are deeply concerned with the future of humanity. He has won many literary prizes. His short stories 汉家女 and 小诊所 both won the Prize for the Best Chinese Short Story (全国优秀短篇小说奖). Many of his novels have been adapted for TV plays and films. His novella 香魂塘畔的女人 was first adapted for the Henan Opera 香魂女. The play was then adapted into a film by the famous Chinese director Xie Fei （谢飞）. The film 香魂女 won the 43rd Golden Bear Prize at the Berlin International Film Festival. Some of his works have been translated into English, French, German, and Korean.

思考题:

1. 闵茗最初想回中国的打算是什么?
2. 闵茗是一个什么样的女孩? 她信仰什么? 她为什么喜欢梁智?
3. 梁智是一个什么样的小伙子? 他为什么喜欢闵茗?
4. 梁智的奶奶信道教,梁智的妈妈信佛教,道教和佛教的信仰有什么不同?
5. 闵茗和梁智之间的矛盾是怎么产生的?
6. 梁智的爸爸是怎样的一个人? 他为什么因为一件小事对闵茗发脾气?
7. 你对梁智的父亲的看法如何?
8. 闵茗后来为什么又回到了梁智家?
9. 你认为道教、佛教与基督教等宗教信仰对人们的生活有什么影响?
10. 闵茗和父母之间的关系与梁智与父母的关系有什么不同?
11. 读完这篇小说之后,你是怎样理解"浪进船舱"这个标题的?

二、不会变形的金刚

èr　　bú huì biànxíng de jīn gāng

原　著：毕淑敏

yuánzhù　　bì shūmǐn

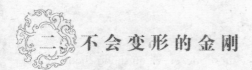

二　不会变形的金刚

Children begin life lovely and innocent with their parents providing sincere and selfless love. While education is one of the duties of a responsible parent, deciding how to educate children is especially difficult when they are influenced by events outside their control. The boy in the story is a sensible child, who is good at school and loves his mother. He is pure, kind, and tolerant under his mother's careful moral education. He knows that his parents cannot afford expensive toys such as the transforming robot toys in children's cartoons, so he never asks his mother to buy them, though he longs for them. His mother, out of love, finally decides to buy him a small transformer. The boy is infatuated with the toy. However, after he breaks a big transformer borrowed from his classmate, he experiences a different kind of realistic problem in life. Learning from his experience with an unforgiving classmate, the boy changes his innocent behavior.

故事正文：

wǒ dài zhe shí suì de ér zi qù shāng chǎng mǎi
我带着十岁的儿子去商场买
máo xiàn wǒ xū yào mǎi máo xiàn zhī yì tiáo
毛线¹。我需要买毛线织²一条
wēn nuǎn de wéi jīn hé yì dǐng měi lì de mào zi
温暖的围巾和一顶³美丽的帽子。
wǒ men lái dào yì jiā xīn kāi de shāng chǎng yóu
我们来到一家新开的商场。由
yú wǒ men jiā shēng huó bú fù yù měi dāng wǒ
于我们家生活不富裕⁴，每当我
dài zhe ér zi guàng shāng chǎng de shí hou wǒ
带着儿子逛商场的时候，我
zǒng shì xiǎng bì kāi wán jù guì tái yì bān shāng
总是想避开玩具柜台⁵。一般商
chǎng de jìn mén dà tīng dōu bǎi zhe huà zhuāng pǐn
场的进门大厅都摆着化妆品⁶，
kě shì zhè jiā shāng chǎng zài yí jìn mén de dà tīng
可是这家商场在一进门的大厅
li què bǎi mǎn le gè zhǒng wán jù wǒ lǐng zhe ér
里却摆满了各种玩具。我领着儿
zi méi yǒu zhù yì dà tīng de wán jù dāng wǒ tū
子没有注意大厅的玩具。当我突
rán kàn jiàn le wán jù guì tái zhèng zài xiǎng shì
然看见了玩具柜台，正在想是
fǒu yào tuì chū shāng chǎng shí shí suì de ér zi tū
否要退出商场时，十岁的儿子突
rán duì wǒ shuō mā ma zán men zǒu ba wǒ bú
然对我说："妈妈，咱们走吧！我不

1 毛线: wool yarn

2 织: knit

3 顶: (classifier) for a cap or hat

4 富裕: rich; affluence

5 玩具柜台: toy counter

6 化妆品: cosmetics

yào biàn xíng jīn gāng
要 变 形 金 刚 ¹。"

　　　 wǒ xiǎng nǎ jiā shāng diàn dōu yǒu mài máo
　　　 我 想 哪 家 商 店 都 有 卖 毛
xiàn de　hái shì dào bié de shāng diàn qù mǎi ba　wǒ
线 的，还 是 到 别 的 商 店 去 买 吧。我
jǐn jǐn de lā zhe ér zi de shǒu　zhǔn bèi zhǎo yí ge
紧 紧 地 拉 着 儿 子 的 手，准 备 找 一 个
hé shì de lǐ yóu lí kāi zhè li　kě shì zěn me gēn ér
合 适 的 理 由 离 开 这 里。可 是 怎 么 跟 儿
zi jiě shì ne　wǒ ér zi shí suì　yí ge tiān zhēn kě ài
子 解 释 呢？我 儿 子 十 岁，一 个 天 真 可 爱
de hái zi　wǒ bù xiǎng ràng ér zi zhī dào jiā li de
的 孩 子。我 不 想 让 儿 子 知 道 家 里 的
shēng huó kùn nán　wǒ méi yǒu qián mǎi wán jù　kě
生 活 困 难，我 没 有 钱 买 玩 具。可
shì bù gěi ér zi mǎi tā xǐ huan de wán jù　tā xiǎo
是 不 给 儿 子 买 他 喜 欢 的 玩 具，他 小
xiǎo de xīn huì shòu zhé mó de　wǒ zhēn xiǎng yòng
小 的 心 会 受 折 磨 ² 的。我 真 想 用
shǒu dǎng zhù tā de yǎn jing
手 挡 住 他 的 眼 睛……

　　　 ér zi yòu shuō　mā ma　zán men zǒu ba　wǒ
　　　 儿 子 又 说："妈 妈，咱 们 走 吧！我
bú yào biàn xíng jīn gāng　wǒ zhēn méi xiǎng dào
不 要 变 形 金 刚。"我 真 没 想 到
ér zi huì zhè me shuō　wǒ bù zhī dào zěn yàng gǎn xiè
儿 子 会 这 么 说，我 不 知 道 怎 样 感 谢
ér zi cái hǎo　tā tài dǒng shì le　wǒ bù zhī dào shì
儿 子 才 好！他 太 懂 事 ³ 了。我 不 知 道 是

1 变形金刚: trans-
formers

2 受折磨: torture
e.g. 他病了很久，受
尽了折磨。

3 懂事: sensible
e.g. 他妈妈身体不
好，他十分懂事，总是
帮妈妈干活。

谁发明了这种机器人[1]玩具——变形金刚。"红蜘蛛"、"擎天柱"、"恐龙钢索"[2]等电视节目占了儿子每个星期六和星期天的晚上，闹得我连电视新闻也看不全。电视节目里各种各样变形金刚的形象，深深印在了孩子们的脑子里，进入了孩子们的梦中。然后，成千上万[3]的变形金刚玩具就出现在商场的玩具柜台上，家长们也把钱投向了这些玩具柜台。

商场里有太多的顾客，如果不是很拥挤，我真想弯下身去亲亲[4]儿子。但我立刻发现事情不像我

1 机器人: robot

2 红蜘蛛,擎天柱,恐龙钢索: the names of transformers such as Red Spider, etc.

3 成千上万: thousands upon thousands

4 亲亲: kiss

想象的那么乐观。儿子的身体
转向商场的大门，脚却不动
地方，脖子扭向柜台，眼睛一直看
着变形金刚玩具。各种各样的
机器人与我的儿子互相看着。看着
孩子久久地注视¹着玩具，我心软²
了。我想，我需要的不就是一顶帽
子和一条围巾吗！

我结婚比较晚，儿子虽然才十
岁，我已经四十岁了。我的头发开始变
少，开始变白了。头发白了、少了不
仅不美观³，而且更怕冷了。冬天
已经到了，冷风一吹，我就头痛。
我是个巧手⁴的女人，在家里我会做
菜、会织毛衣。我打算给自己织一顶

1 注视: stare

2 心软: soft-hearted, tender-hearted

3 美观: pretty
e.g. 这间房子布置得很美观。

4 巧手: skilful craftsman

měi lì de mào zi　zài pèi shàng yì tiáo cháng cháng
美丽的帽子，再配上一条长　长
de wéi jīn　jì měi guān yòu shū fu　zhàng fu yě hěn
的围巾，既美观又舒服。丈夫也很
zhī chí wǒ mǎi máo xiàn　bú guò zhǐ yào ér zi gāo
支持我买毛线。不过只要儿子高
xìng　wǒ yě kě yǐ bú yào mào zi　wǒ yǒu yì tiáo jiù
兴，我也可以不要帽子。我有一条旧
de fāng jīn　bǎ fāng jīn dài shàng　jiù kě yǐ gài zhù
的方巾¹，把方巾戴上，就可以盖住
tóu dǐng　nà zhǒng yàng zi kě néng bú tài měi guān
头顶。那种样子可能不太美观，
xiàng yí ge tóng huà　zhōng de jī mā ma　nà yòu
像一个童话²中的鸡妈妈。那又
yǒu shén me guān xi ne　wǒ de ér zi jiāng huì yǒu yí
有什么关系呢？我的儿子将会有一
jiàn tā xīn ài de wán jù le
件他心爱的玩具了。

　　wǒ wàng le yì yǎn guì tái　biàn xíng jīn gāng
　　我望了一眼柜台。变形金刚
wán jù hěn guì　mǎi yì dǐng mào zi hé yì tiáo wéi
玩具很贵，买一顶帽子和一条围
jīn de qián　zhǐ gòu mǎi yì tiáo biàn xíng jīn gāng de
巾的钱，只够买一条变型金刚的
tuǐ　ér qiě　zhàng fu huì shuō shén me ne　tā
腿……而且，丈夫会说什么呢？他
zǒng shuō wǒ guàn　ér zi　tóng yǒu qián rén jiā
总说我惯³儿子。同有钱人家
bǐ　yào zhī dào wǒ men shì zuì pǔ tōng de lán lǐng
比，要知道我们是最普通的蓝领

1 方巾: square scarf

2 童话: fairy tale

3 惯: spoil
e.g. 他们家只有他
一个男孩，大家都惯
着他。

工人[1]，我们的工资很低。丈夫还吸烟，从我认识他那天起，我就知道他绝对不会戒烟[2]。但是在其他方面他很照顾家里。在吃饭的时候，我们都抢着吃菜而不吃肉，这使儿子觉得菜里的肉很多。他也很关心、爱护我的身体。

那么，蓝领工人的儿子，就不能有变形金刚吗？我几乎要下定决心了。我带的钱够买一个最小号的变形金刚。对我的丈夫，我会编出一个不要帽子的童话。

就在这时，儿子突然把头和身子转向商场的大门，很坚决地说："妈妈，咱们快走吧！我们不

1 蓝领工人: blue collar workers

2 戒烟: give up smoking

买变形金刚。"他拉着我的手就要走。他的眼睛最后看了一眼柜台。他的小腿移动得很快,好像担心变形金刚们会突然把他抓回去似的。

　　儿子学习好,品行[1]也好,是学校的三好学生。在这么懂事的儿子面前,我觉得自己和丈夫都太自私[2]了。我是为了自己,丈夫是为了我。

　　我被儿子感动了,我不怕头痛了。为了儿子的懂事,为了我和他心中的快乐,我立刻返回柜台,买了一个最小号的红色变形金刚——威震天[3]。

1 品行: morality

2 自私: selfish

3 威震天: Megatron, the name of a transformer

nà tiān wǎn shang　ér zi wàng le chī fàn　yì
那 天 晚 上 ，儿 子 忘 了 吃 饭，一
zhí zài wán biàn xíng jīn gāng　tā bǎ xiǎo xiǎo de hēi
直 在 玩 变 形 金 刚 。他 把 小 小 的 黑
sè shǒu qiāng bié zài hóng sè de wēi zhèn tiān shǒu
色 手 枪 别 在 红 色 的 威 震 天 手
zhōng　yòng shǒu zhuàn yí zhuàn　　jī qì rén jiù biàn
中 ， 用 手 转 一 转，机 器 人 就 变
chéng le yí jià fēi jī　tā de jié gòu què shí jīng qiǎo
成 了 一 架 飞 机。它 的 结 构 确 实 精 巧 [1]，
biàn xíng jīn gāng zài ér zi de xiǎo shǒu li biàn lái
变 形 金 刚 在 儿 子 的 小 手 里 变 来
biàn qù　xíng zhuàng zài biàn　yán sè yě zài biàn
变 去 ， 形 状 在 变 ， 颜 色 也 在 变 。
ér zi yì biān wán yì biān hēng zhe biàn xíng jīn gāng
儿 子 一 边 玩 一 边 哼 着 变 形 金 刚
de gēr　　　　biàn xíng jīn gāng　suí shí biàn xíng
的 歌 儿 ：" 变 形 金 刚 ，随 时 变 形
zhuàng　qì chē rén wèi zhèng yì ér zhàn　wèi zì yóu
状 。汽 车 人 为 正 义 而 战 ，为 自 由
ér zhàn　yì zhì jiān qiáng
而 战 ，意 志 坚 强 。" [2]

zhàng fu kàn wǒ méi mǎi máo xiàn　gěi ér zi
丈 夫 看 我 没 买 毛 线 ，给 儿 子
mǎi le biàn xíng jīn gāng　shuō le wǒ jǐ jù　　wǒ
买 了 变 形 金 刚 ，说 了 我 几 句 [3]。我
réng rán jué de zì jǐ de jué dìng fēi cháng zhèng què
仍 然 觉 得 自 己 的 决 定 非 常 正 确 。
biàn xíng jīn gāng suī rán guì　dàn shì ér zi de kuài lè
变 形 金 刚 虽 然 贵 ，但 是 儿 子 的 快 乐

1 精巧: delicate
e.g. 这件工艺品制作
得十分精巧。

2 一边哼…: croon the
song of transformers:
"Transformers trans-
form all the time, fight-
ing for justice and free-
dom with strong will."

3 说了我几句: scold
e.g. 爸爸说了他几
句。

shí guāng gèng bǎo guì　wǒ bù xī wàng ér zi zhǎng
时 光 更 宝 贵。我 不 希 望 儿 子 长

dà yǐ hòu　zài huí yì tóng nián de shí hou　huì
大 以 后，在 回 忆 童 年[1]的 时 候，会

shuō　wǒ xiǎo shí hou hěn xǐ huan wán jù　yīn wèi
说：我 小 时 候 很 喜 欢 玩 具，因 为

jiā li méi yǒu qián　zhǐ yǒu kàn zhe bié rén jiā de hái
家 里 没 有 钱，只 有 看 着 别 人 家 的 孩

zi wán……
子 玩……

wǒ bù xī wàng gěi tā de tóng nián liú xià shēn
我 不 希 望 给 他 的 童 年 留 下 深

shēn de yí hàn　hái zi de kuài lè hěn róng yì mǎn
深 的 遗 憾[2]。孩 子 的 快 乐 很 容 易 满

zú　yí ge zuì xiǎo hào de biàn xíng jīn gāng　jiù shǐ
足，一 个 最 小 号 的 变 形 金 刚，就 使

tā wán de rù mí le　wǒ gào su ér zi　bù néng
他 玩 得 入 迷[3]了。我 告 诉 儿 子："不 能

yīn wèi wán biàn xíng jīn gāng ér yǐng xiǎng le xué
因 为 玩 变 形 金 刚 而 影 响 了 学

xí　wǒ de yǔ qì hěn yán sù　ér zi yě huí dá le
习。"我 的 语 气 很 严 肃。儿 子 也 回 答 了

wǒ　bú huì de　guò le jǐ tiān　wǒ fān le fān tā
我："不 会 的。"过 了 几 天，我 翻 了 翻 他

de zuò yè běn　tā de chéng jì hái hǎo　ér zi měi cì
的 作 业 本，他 的 成 绩 还 好。儿 子 每 次

dōu shì zuò wán zuò yè cái kāi shǐ wán
都 是 做 完 作 业 才 开 始 玩。

dōng tiān dào le　zhàng fu hěn dān xīn wǒ de
冬 天 到 了，丈 夫 很 担 心 我 的

---

1 童年: childhood

2 遗憾: pity

3 入迷: be entranced with

e.g. 老爷爷在讲故事，孩子们听得入了迷。

tóu tòng bìng   wǒ zài sān gēn tā jiě shì jiù wéi jīn hěn
头 痛 病。我 再 三¹ 跟 他 解 释 旧 围 巾 很

hǎo   tā yòu shuō   nǐ yě gāi mǎi yì shuāng mián
好。他 又 说："你 也 该 买 一 双 棉

xié le   wǒ gǎn jī de xiàng tā xiào xiao
鞋 了。"我 感 激 地 向 他 笑 笑。

yǒu yì tiān wǎn shang   wǒ tū rán fā xiàn ér
有 一 天 晚 上，我 突 然 发 现 儿

zi de biàn xíng jīn gāng yǔ wǒ men mǎi de nà ge bù
子 的 变 形 金 刚 与 我 们 买 的 那 个 不

yí yàng   hóng sè biàn chéng le huáng sè   ge tóu
一 样，红 色 变 成 了 黄 色，个 头

yě dà   yào bǐ wǒ men mǎi de biàn xíng jīn gāng dà
也 大，要 比 我 们 买 的 变 形 金 刚 大

sān bèi
三 倍。

zhè shì shén me   wǒ yán lì de wèn ér zi
"这 是 什 么？"我 严 厉² 地 问 儿 子。

zuò wéi fù mǔ   duì hái zi de měi yì diǎn biàn huà dōu
作 为 父 母，对 孩 子 的 每 一 点 变 化 都

yīng gāi zhù yì
应 该 注 意。

ér zi huí dá   zhè shì dà lì jīn gāng
儿 子 回 答："这 是'大 力 金 刚'³。"

kǒu qì qīn qiè de hǎo xiàng dà lì jīn gāng shì wǒ men
口 气 亲 切 得 好 像 大 力 金 刚 是 我 们

jiā de qīn qi   yīn wèi wǒ jīng cháng gēn ér zi yì qǐ
家 的 亲 戚。因 为 我 经 常 跟 儿 子 一 起

kàn diàn shì li de biàn xíng jīn gāng   wǒ yě liǎo jiě
看 电 视 里 的 变 形 金 刚，我 也 了 解

1 再三: again and a-
gain

2 严厉: stern

3 大力金刚: Omega
Supreme, the name of a
transformer

le gè zhǒng biàn xíng jīn gāng　dà lì jīn gāng shì jīn
了 各 种 变 形 金 刚 。大力金 刚 是 金
gāng men de tóu lǐng　dàn shì wǒ xiǎng liǎo jiě de bú
刚 们 的 头 领 ¹。但是我 想 了 解 的 不
shì jīn gāng de míng zi　wǒ xiǎng liǎo jiě de shì zhè ge
是金 刚 的 名 字,我 想 了 解 的 是 这 个
jīn gāng shì shéi de　　wǒ wèn nǐ　zhè shì shéi de
金 刚 是 谁 的。"我 问 你,这 是 谁 的?"
wǒ de yǔ qì hěn yán lì
我 的 语 气 很 严 厉。

　　　　tóng xué de ya　wǒ men bān chā bu duō měi
　　"同 学 的 呀!我 们 班 差 不 多 每
ge rén dōu mǎi le biàn xíng jīn gāng　dà jiā mǎi de
个 人 都 买 了 变 形 金 刚 。大家买的
dōu bù yí yàng　hù xiāng huàn zhe wán　zhè yàng
都 不 一 样 , 互 相 换 着 玩 。这 样
wǒ men jiù néng wán hǎo duō zhǒng qì chē rén hé fēi
我 们 就 能 玩 好 多 种 汽车人和飞
jī rén le　ér zi píng jìng de kàn zhe wǒ　wán
机 人 了!"儿 子 平 静 地 看 着 我 , 完
quán méi yǒu tīng chū wǒ de wèn huà zhōng duì tā
全 没 有 听 出 我 的 问 话 中 对 他
de cāi yí　kàn lái shì wǒ dà jīng xiǎo guài le　wǒ
的 猜 疑 ²。看 来 是 我 大 惊 小 怪 ³ 了。我
zuì dān xīn de shì hái zi shuō huǎng　suǒ yǐ duì měi
最 担 心 的 是 孩 子 说 谎 ⁴,所 以 对 每
jiàn xiǎo shì dōu yào wèn qīng chu
件 小 事 都 要 问 清 楚 。
　　　hái zi men tǐng cōng míng　wǒ bù zhī dào yīng
　　孩 子 们 挺 聪 明 ,我 不 知 道 应

1 头领: chief

2 猜疑: doubt, mistrust

3 大惊小怪: make a fuss
e.g. 有什么大惊小怪的,不就是晚了一点吗?

4 说谎: tell a lie

gāi zàn chéng hái shi yīng gāi fǎn duì　kàn zhe ér zi
该 赞 成 还是 应 该 反 对。看 着 儿 子
wán de hěn gāo xìng　wǒ zhǐ shì shuō　bù guǎn shì
玩 得 很 高 兴，我 只 是 说："不 管 是
dà lì jīn gāng hái shi wēi zhèn tiān　dōu bù néng
大 力 金 刚 还是 威 震 天，都 不 能
yǐng xiǎng le xué xí　yào ài hù bié rén de wán
影 响 了 学 习。要 爱 护 别 人 的 玩
jù　　ér zi tīng huà de diǎn diǎn tóu　tā shì ge
具。"儿子 听 话 地 点 点 头。他 是 个
guāi hái zi
乖 孩 子[1]。

　　　yǒu rén qiāo mén　shēng yīn hěn xiǎo　wèi zhi
　　有 人 敲 门，声 音 很 小，位 置
hěn dī　ér zi pǎo qù kāi mén　mén shàn kāi de hěn
很 低。儿子 跑 去 开 门。门 扇 开 得 很
dà　ér zi shì ge hào kè de hái zi　kě shì lái de rén
大，儿子 是 个 好 客[2]的 孩 子。可 是 来 的 人
què bǎ mén hé shàng　hǎo xiàng tā bú shì xiǎng jìn lái
却 把 门 合 上，好 像 他 不 是 想 进 来
ér shì yào lí kāi　rán hòu cái cóng mén fèng lǐ tou
而 是 要 离 开，然 后 才 从 门 缝 里 头
shēn chū pàng pàng de nǎo dai
伸 出 胖 胖 的 脑 袋。

　　　zhè shì ér zi de tóng xué　yí ge jīng cháng lái
　　这 是 儿子 的 同 学，一 个 经 常 来
wèn zuò yè de nán hái　wǒ bù zhī dào tā de míng
问 作 业 的 男 孩。我 不 知 道 他 的 名
zi　wǒ zhǐ jiào tā xiǎo pàng
字，我 只 叫 他 小 胖。

1 乖孩子：well-be-
haved child

2 好客：hospitable
e.g. 他非常好客，每
个周末都有朋友到他
家来玩。

xiǎo pàng zhè cì què bú shì lái wèn zuò yè de
小 胖 这 次 却 不 是 来 问 作 业 的。

tā jì bù kěn jìn lái yòu bú tuì chū qù   tā yòng yǎn
他 既 不 肯 进 来 又 不 退 出 去，他 用 眼

jing wàng zhe wǒ   tūn tūn tǔ tǔ   de duì ér zi shuō
睛 望 着 我，吞 吞 吐 吐[1]地 对 儿 子 说：

zhēn duì bu qǐ   wǒ bǎ nǐ de biàn xíng jīn gāng
"真 对 不 起，我 把 你 的 变 形 金 刚

nòng huài le
弄 坏 了……"

ér zi de liǎn sè yí xià zi biàn de cāng bái   hǎo
儿 子 的 脸 色 一 下 子 变 得 苍 白[2]，好

xiàng tā cóng lái méi shòu guò zhè me dà de dǎ jī   tā
像 他 从 来 没 受 过 这 么 大 的 打 击[3]。他

cóng xiǎo pàng shǒu li jiē guò nòng huài le de biàn
从 小 胖 手 里 接 过 弄 坏 了 的 变

xíng jīn gāng   kàn zhe yì duī suì piàn   qīng qīng de
形 金 刚，看 着 一 堆 碎 片[4]，轻 轻 地

chuī zhe   hǎo xiàng nà shì yì zhī shòu shāng de gē zi
吹 着，好 像 那 是 一 只 受 伤 的 鸽 子[5]。

guò le yí huìr   zhī hòu   ér zi kàn zhe wǒ
过 了 一 会 儿 之 后，儿 子 看 着 我。

zhè shì yí ge gān gà de chǎng miàn   zuì kāi shǐ
这 是 一 个 尴 尬[6]的 场 面。最 开 始

de shí hou   wǒ jué de hěn kě xī   wǒ xiǎng dào le
的 时 候，我 觉 得 很 可 惜[7]，我 想 到 了

mào zi hé wéi jīn   rán ér   wǒ men hái shi miàn duì
帽 子 和 围 巾。然 而，我 们 还 是 面 对

xiàn shí ba
现 实 吧。

1 吞吞吐吐: hesitantly

2 苍白: pale

3 打击: blow, strike

4 碎片: pieces

5 鸽子: pigeon

6 尴尬: embarrassed
e.g. 他没有办法帮助她的朋友，显得很尴尬。

7 可惜: pity

我故意不看儿子，说："变形金
刚是你的，你看怎么办？"

儿子还是不说话，也许我在场，
他不敢作出他的决定。我转身走
进里屋。

后来，我听见小胖的呼吸声
越来越粗。我真想跑出去对他
说："孩子，你可以走了。"可是，这
决定应该由儿子自己作出。

"你是怎么给弄坏的？"儿子的
声音充满了愤怒¹。

"就这样……后来就啪啦一
声……"小胖大概做了一个手势²。

怎么办呢？也许我该出面。变
形金刚虽然珍贵³，但宽容⁴比这

1 愤怒: indignation

2 手势: gesture
e.g. 我跟外国人说话
的时候，经常做手势。

3 珍贵: precious

4 宽容: tolerance

gèng zhēn guì　wǒ suī rán xiāng xìn zì jǐ píng shí duì
更 珍 贵。我 虽 然 相 信 自 己 平 时 对
ér zi de jiào yù　dàn wēi zhèn tiān zhè ge biàn xíng
儿 子 的 教 育，但 威 震 天 这 个 变 形
jīn gāng duì yú ér zi lái shuō tài bǎo guì le
金 刚 对 于 儿 子 来 说 太 宝 贵 了。

dà jiā dōu zài chén mò　zhè duì ér zi　duì xiǎo
大 家 都 在 沉 默。这 对 儿 子、对 小
pàng dōu shì tòng kǔ de
胖 都 是 痛 苦 的。

zhōng yú　ér zi kāi kǒu le　tā jiān nán de
终 于，儿 子 开 口 了。他 艰 难[1]地
shuō chū jiǎn dān de sān ge zì　méi guān xi
说 出 简 单 的 三 个 字："没 关 系……"

xiǎo pàng zi lì kè jiù pǎo le　hǎo xiàng pà ér
小 胖 子 立 刻 就 跑 了，好 像 怕 儿
zi huì gǎi biàn zhǔ yi
子 会 改 变 主 意。

wǒ cháng chū le yì kǒu qì　duì ér zi de jué
我 长 出 了 一 口 气，对 儿 子 的 决
dìng fēi cháng mǎn yì　wǒ qīng qīng de qīn le yí xià
定 非 常 满 意。我 轻 轻 地 亲 了 一 下
ér zi
儿 子。

tā shuō　wēi zhèn tiān sǐ le　ér zi de yǎn
他 说："威 震 天 死 了。"儿 子 的 眼
li hán zhe yǎn lèi
里 含 着 眼 泪。

wǒ shuō　wǒ shì zhe bǎ tā zhān qǐ lái　wǒ
我 说："我 试 着 把 它 粘 起 来。"我

1 艰难: difficult, hard

ān wèi ér zi   zì jǐ yě méi yǒu duō dà de bǎ wò
安慰儿子，自己也没有多大的把握[1]。

wēi zhèn tiān yǐ jīng biàn chéng le suì piàn   wǒ
威震天已经变成了碎片。我

yòng le hěn duō shí jiān   cái zhōng yú bǎ wēi zhèn
用了很多时间，才终于把威震

tiān chóng xīn zhān hǎo le   dàn shì tā zhǐ néng kàn
天重新粘好了。但是它只能看，

bù néng dòng le   tā zài yě bú huì biàn xíng le
不能动了。它再也不会变形了。

biàn xíng jīn gāng de shēng mìng zài yú biàn
变形金刚的生命在于变

xíng   bú huì biàn xíng de jīn gāng zhǐ néng shì bǎi zài
形，不会变形的金刚只能是摆在

nà kàn le   ér zi xǐ xīn yàn jiù   tā bǎ quán bù de
那看了。儿子喜新厌旧[2]，他把全部的

rè qíng zhuǎn yí dào dà lì jīn gāng shang   ér zi fēi
热情转移到大力金刚上。儿子飞

kuài de gǎi biàn zhe dà lì jīn gāng de xíng zhuàng
快地改变着大力金刚的形状，

bǎ fēi jī de dù zi biàn chéng rén de nǎo dai   wǒ yě
把飞机的肚子变成人的脑袋。我也

rěn bu zhù de kàn zhe ér zi wán   kàn lái hǎo de wán
忍不住地看着儿子玩。看来好的玩

jù dà rén hé hái zi dōu xǐ huan   zhèng zài zhè shí
具大人和孩子都喜欢。正在这时，

pā lā yì shēng   gāo dà de dà lì jīn gāng yí xià zi
啪啦一声，高大的大力金刚一下子

jiù sǎn le   yě chéng wéi yì duī suì piàn   zhè shì zěn
就散[3]了，也成为一堆碎片。这是怎

1 把握: certainty
e.g. 他们有把握赢得这场比赛。

2 喜新厌旧: love the new and loathe the old

3 散: fragmentary, scattered

me huí shì

么回事？

ér zi wàng zhe wǒ　　wǒ wàng zhe tā　　shì qing
儿子望着我，我望着他。事情
hěn qīng chu　dà lì jīn gāng bèi nòng huài le　 zhǐ shì
很清楚，大力金刚被弄坏了，只是
wǒ men dōu bú yuàn xiāng xìn
我们都不愿相信。

ér zi xiǎng bǎ suì piàn chóng xīn zhuāng qǐ
儿子想把碎片重新装起
lái　 jié guǒ shì dà lì jīn gāng bèi pò huài de gèng jiā
来，结果是大力金刚被破坏得更加
yán zhòng　 wǒ zhèng zài xiǎng rú hé chǔ lǐ zhè jiàn
严重。我正在想如何处理这件
shì　ér zi yǐ jīng bǎ suì piàn shōu shi zài yì zhāng zhǐ
事，儿子已经把碎片收拾在一张纸
li　 zhǔn bèi chū mén
里，准备出门。

nǐ dào nǎ qù　　wǒ wèn
"你到哪去？"我问。

qù huán gěi rén jia　 hái xiàng rén jia dào
"去还给人家，还向人家道
qiàn　 ér zi xiǎn chū hěn chéng shóu de yàng zi
歉。"儿子显出很成熟[1]的样子。

dà lì jīn gāng shì xiǎo pàng zi de ma
"大力金刚是小胖子的吗？"
wǒ wèn
我问。

---

1 成熟: mature

e.g. 这个人办事一
点也不成熟。

---

bú shì　　　ér zi shuō le yí ge nǚ tóng xué
"不是。"儿子说了一个女同学

de míng zi
的 名 字。

shì tā jiā   wǒ de xīn wǎng xià yì chén   wǒ
是 她家！我 的 心 往 下 一 沉 [1]。我
duì nà nǚ hái méi shén me yìn xiàng   zhǐ jué de tā de
对 那 女 孩 没 什 么 印 象 ，只 觉 得 她 的
mā ma shì ge gāo ào de nǚ rén   gěi yí ge nǚ hái zi
妈 妈 是 个 高 傲 [2] 的 女 人。给 一 个 女 孩 子
mǎi zhè me dà zhè me guì de jī qì rén wán jù kě
买 这 么 大、这 么 贵 的 机 器 人 玩 具，可
yǐ xiǎng xiàng tā men jiā hěn fù yù shǔ yú yǒu qián
以 想 象 她 们 家 很 富 裕，属 于 有 钱
rén yí lèi de jiā tíng
人 一 类 的 家 庭。

nǐ jiù zhè yàng qù   xíng ma   wǒ dān
"你 就 这 样 去……行 吗？"我 担
xīn de shuō bù zhī shì wèn ér zi hái shi wèn wǒ
心 地 说，不 知 是 问 儿 子，还 是 问 我
zì jǐ
自 己。

hái yào dài shén me dōng xi ma   ér
"还 要 带 什 么 东 西 吗？"儿
zi wèn
子 问。

kàn zhe ér zi tiān zhēn de yàng zi   wǒ
看 着 儿 子 天 真 的 样 子，我
xiǎng shuō shén me   què zhōng yú shén me yě méi
想 说 什 么，却 终 于 什 么 也 没
yǒu shuō
有 说。

1 心往下一沉: have a
heavy heart

2 高傲: arrogant

"妈妈，那我走了。"儿子小跑着出了家门。

"快去快回。"我不安[1]地告诉他。

儿子没有回答，他已经跑远了，不过我相信他会很快回来的。

可是，等啊，等啊……等了很久，儿子还没有回来。

我很担心、着急，简直坐不住了，心里很乱，猜想着儿子的情况。

世上[2]的人什么样的都有，你能原谅别人，别人却并不一定能原谅你。我应该告诉儿子这一点。如果真的出现了不被人原谅的情况，儿子也会有点精神准备，也许不会发生什么意外[3]。好客

1 不安：uneasy

2 世上：in the world

3 意外：suddenness, accident

de tóng xué kě néng ràng ér zi duō zuò yí huìr
的 同 学 可 能 让 儿 子 多 坐 一 会 儿，

nǚ hái de mā ma kě néng hái gěi le ér zi yí ge jú
女 孩 的 妈 妈 可 能 还 给 了 儿 子 一 个 橘

zi   rén jia yí dìng huì yuán liàng tā de   jiù
子 …… 人 家 一 定 会 原 谅 他 的，就

xiàng wǒ men yuán liàng le xiǎo pàng yí yàng
像 我 们 原 谅 了 小 胖 一 样 ……

shí jiān yì diǎn yì diǎn de guò qù le   ér zi hái
时 间 一 点 一 点 地 过 去 了，儿 子 还

méi yǒu huí lái   wǒ de xīn yuè lái yuè gǎn dào bù ān
没 有 回 来，我 的 心 越 来 越 感 到 不 安。

zhōng yú   ér zi huí lái le   tā zǒu lù zǒu de
终 于，儿 子 回 来 了。他 走 路 走 得

nà yàng qīng   wǒ kàn le tā yì yǎn   jiù zhè yì yǎn
那 样 轻。我 看 了 他 一 眼。就 这 一 眼，

yí qiè dōu míng bai le   kàn qǐ lái   tā kū guò le
一 切 都 明 白[1] 了。看 起 来，他 哭 过 了，

liú le xǔ duō yǎn lèi   pà wǒ kàn chū lái   yòu zhàn zài
流 了 许 多 眼 泪，怕 我 看 出 来，又 站 在

wài miàn děng zhe lěng fēng bǎ lèi shuǐ chuī gān   wǒ
外 面 等 着 冷 风 把 泪 水 吹 干。我

cóng ér zi de shēn shang kàn dào le gèng duō de
从 儿 子 的 身 上 看 到 了 更 多 的

dōng xi   wǒ méi yǒu yǒng qì wèn ér zi shì qing de
东 西。我 没 有 勇 气 问 儿 子 事 情 的

xiáng xì jīng guò
详 细 经 过。

mā ma   rén jia yào wǒ men   péi
"妈 妈，人 家 要 我 们 …… 赔 ……"

1 明白: understand
e.g. 她不明白他为什么生气。

眼泪从儿子脸上滚落下来。我用手去接。因为刚从外面回来,那泪水很凉。

我想用母亲的温暖安慰儿子。我希望能保持儿子那颗纯真[1]的心。可惜我不是整个世界。

现在,我们面临[2]的是另一个问题了——"既然弄坏了别人的东西,人家要求赔,当然是应该的。"我擦干儿子的眼泪。

"那我去找小胖,叫他先赔我的威震天。他说了一个'对不起'就值这么多钱啊?以后去商店买东西,不带钱包,先说'对不起'就行了!"儿子说完就要去

1 纯真: innocence

2 面临: faced with
e.g. 他们面临着很多困难。

zhǎo xiǎo pàng
找 小 胖。

nǐ bù néng qù   wǒ lā zhù tā
"你不能去!"我拉住他。

wèi shén me   mā ma   ér zi kàn zhe wǒ   wǒ
"为什么?妈妈!"儿子看着我。我

huí dá bú shàng lái   dàn wǒ què bì xū huí dá
回答不上来。但我却必须回答。

duì bu qǐ   shì yì zhǒng lǐ mào   tā shì
"'对不起'是一种礼貌,它是

bù néng yòng qián lái jì suàn de   ér zi diǎn
不能用钱来计算的。"儿子点

diǎn tóu   zhè huà dà gài xué xiào de lǎo shī men yě
点头。这话大概学校的老师们也

jiǎng guò
讲过。

xiǎo pàng nòng huài le wēi zhèn tiān   nǐ yuán
"小胖弄坏了威震天,你原

liàng le tā   tā hěn qīng sōng   zhè shì yí jiàn hǎo
谅了他,他很轻松,这是一件好

shì   wǒ zhǔn bèi màn màn de gēn tā shuō míng yì
事。"我准备慢慢地跟他说明一

xiē dào lǐ
些道理。

kě shì rén jia bù yuán liàng wǒ   mā ma
"可是人家不原谅我……妈妈!"

ér zi zhēng biàn zhe
儿子争辩[1]着。

shì de   ér zi   měi yí jiàn shì   dōu kě yǐ yǒu
"是的,儿子。每一件事,都可以有

1 争辩: argue

好几种处理的方法。喏，就像这些变形金刚，可以变机器人，也可以变飞机和汽车……懂了吗？"

"懂……了。"儿子迟疑[1]地点了点头，但我知道他心里没有完全接受我的看法，又不愿惹我生气。

要赔一个最大号的大力金刚，对于我们家来说是一笔不小的数目。尽管我们还不用卖房子赔一个大号的变形金刚，可是我还是有一种破产[2]的感觉。

我们不安地等着家里最重要的男人回来。我的丈夫回来了，儿子害怕地看着我，希望我别说，又希望我快说。我不想说，又不得不

1 迟疑: hesitate

2 破产: bankruptcy

shuō　zǒng zhī　shì duǒ bu kāi de
说 。总 之 ，是 躲 不 开 的 。

zhàng fu tīng wán hòu　chén mò le hěn cháng
丈 夫 听 完 后 ，沉 默 了 很 长
shí jiān　rán hòu zhàng fu fèn nù de zé bèi er zi
时 间 。然 后 丈 夫 愤 怒 地 责 备[1]儿 子 ：
shuō　nǐ shì zěn me bǎ nà ge wán yìr　　nòng
" 说 ！你 是 怎 么 把 那 个 玩 意 儿[2] 弄
huài de
坏 的 ？"

jiù zhè me yí xià　　pā lā yí xià
" 就 这 么 一 下 …… 啪 啦 一 下 ……
jiù　　　ér zi tūn tūn tǔ tǔ de shuō zhe　rán hòu
就 ……" 儿 子 吞 吞 吐 吐 地 说 着 ，然 后
kàn zhe wǒ　xī wàng wǒ néng wèi tā jiě shì yí xià
看 着 我 ，希 望 我 能 为 他 解 释 一 下 。
biàn xíng jīn gāng yǐ jīng huài le　shén me jiě shì dōu
变 形 金 刚 已 经 坏 了 ，什 么 解 释 都
méi yǒu yòng le　ér zi yǐ hòu zài yě bú huì wán zhè
没 有 用 了 。儿 子 以 后 再 也 不 会 玩 这
zhǒng bǎo guì de wán jù le
种 宝 贵 的 玩 具 了 。

zhàng fu yòu wèn ér zi　nǐ shuō nǐ shì bu shì
丈 夫 又 问 儿 子 ："你 说 你 是 不 是
gù yì de
故 意 的 ？"

bú shì gù yì de　　bù bà ba wǒ shì gù
" 不 是 故 意 的 …… 不 ，爸 爸 ，我 是 故
yì de　　　zài jǐn zhāng zhī zhōng　ér zi bù zhī
意 的 ……" 在 紧 张 之 中 ，儿 子 不 知

1 责备: blame

2 玩意儿: thing, play-
thing

dào zěn yàng huí dá fù qin de wèn huà　ér zi zǒng shì
道 怎 样 回 答 父 亲 的 问 话。儿 子 总 是

wǎng wǒ shēn hòu duǒ
往 我 身 后 躲。

nǐ zhè ge bài jiā zǐ　nǐ bà yí ge yuè de
"你 这 个 败 家 子 1！你 爸 一 个 月 的

gōng zī　hái bú gòu mǎi yí ge zhè wán yìr　wǒ
工 资，还 不 够 买 一 个 这 玩 意 儿，我

yào ràng nǐ jì zhù　shuō wán　zhàng fu jiù
要 让 你 记 住……" 说 完， 丈 夫 就

jǔ qǐ le gē bo　hū de dǎ le guò lái　xìng kuī wǒ
举 起 了 胳 膊，呼 地 打 了 过 来。幸 亏 2 我

zhàn zài ér zi páng biān　wǒ yòng shǒu lán le yí
站 在 儿 子 旁 边，我 用 手 拦 了 一

xià　méi dǎ zháo ér zi　zhàng fu shì gān tǐ lì huó 3
下，没 打 着 儿 子。丈 夫 是 干 体 力 活 3

de　chū shǒu hěn zhòng　suī rán zhàng fu méi dǎ zháo
的，出 手 很 重。虽 然 丈 夫 没 打 着

ér zi　dàn ér zi fēi cháng hài pà　xià de wā de yì
儿 子，但 儿 子 非 常 害 怕，吓 得 哇 地 一

shēng kū qǐ lái
声 哭 起 来。

nǐ hái kū　zhàng fu shēng qì de shuō zhe
"你 还 哭！" 丈 夫 生 气 地 说 着：

wèi le nà ge xiǎo wán yìr　nǐ mā jiù méi qián
"为 了 那 个 小 玩 意 儿，你 妈 就 没 钱

mǎi máo xiàn zhī mào zi　zhè huí zài jiā shàng ge dà
买 毛 线 织 帽 子，这 回 再 加 上 个 大

jiā huo　zan jiā lián méi hé dà bái cài dōu méi qián mǎi
家 伙，咱 家 连 煤 和 大 白 菜 都 没 钱 买

1 败 家 子：a black sheep

2 幸 亏：luckily
e.g. 幸亏带了雨伞，要不衣服就湿透了。

3 体 力 活：manual labor

le tā yòu zhuǎn guò liǎn duì wǒ　　dōu shì nǐ
了！"他又 转 过脸对我："都是你
guàn de
惯 的！"

wǒ tīng zhe zhàng fu de zé bèi　zhǐ yào tā bú
我听着 丈 夫的责备，只要他不
dòng shǒu dǎ ér zi jiù xíng　ér zi cóng xiǎo dào dà
动 手打儿子就行，儿子从 小到大
cóng méi ái guò dǎ
从 没挨[1]过打。

hòu lái yǒu yì tiān　tiān qì hěn lěng　jǐn guǎn
后来有一天，天气很冷。尽管
shì qíng tiān　dàn shì guā de fēng shì lěng fēng　wǒ zǒu
是晴天，但是刮的风是冷风。我走
jìn shēng zhe lú huǒ de jiā zhōng　kàn dào ér zi liǎn
进生 着炉火[2]的家 中，看到儿子脸
rè de hóng hóng de　wǒ yǐ wéi tā fā shāo le
热得红 红的。我以为他发烧了。

mā ma　nǐ bì shàng yǎn jing　ér zi yì
"妈妈，你闭上 眼睛。"儿子一
shuō huà　wǒ jiù zhī dào tā méi shēng bìng　hái zi de
说 话，我就知道他没 生 病。孩子的
shēng yīn shì nà me hǎo tīng
声 音是那么好听。

wǒ bì shàng yǎn jing　děng zhe ér zi jiāng yào
我闭上 眼睛，等着儿子将 要
sòng gěi wǒ de xiǎo xiǎo kuài lè　yě xǔ shì zhāng yì
送 给我的小 小 快乐，也许是 张一
bǎi fēn de kǎo shì juàn zi　yě xǔ shì tā zì jǐ zuò de
百分的考试卷子[3]，也许是他自己做的

1 挨: suffer
e.g. 昨天他挨打了。

2 炉火: fire

3 考试卷子: examination paper

xiǎo shǒu gōng
小　手　工 [1]。

hǎo le　mā ma　nǐ kě yǐ zhēng kāi yǎn
"好了。妈妈，你可以　睁　开眼

jing le
睛了！"

wǒ hái shi bì zhe yǎn jing　bú yuàn zhēng kāi
我还是闭着眼　睛，不　愿　睁　开。

zhè shì yì zhǒng mǔ qin tè yǒu de xìng fú
这是一　种　母亲特有的幸福。

mā ma　nǐ kuài diǎn ma　ér zi zháo jí de
"妈妈，你快　点嘛！"儿子着急地

jiào zhe
叫着。

wǒ gǎn jǐn zhēng kāi yǎn jing　yǎn qián shì yí
我赶紧睁开眼　睛。眼前是一

piàn dàn lǜ sè　hǎo xiàng shì chū chūn de cǎo dì
片淡绿色，好像是初春的草地。

guò le yí huì wǒ cái kàn qīng　yuán lái shì ér zi pěng
过了一会我才看清，原来是儿子捧

zhe yì tuán lǜ máo xiàn　zhè shì wǒ zuì xǐ huan de
着一团绿毛线。这是我最喜欢的

yán sè
颜色。

mā ma　nǐ xǐ huan zhè yán sè ma　ér zi
"妈妈，你喜欢这颜色吗？"儿子

yǎn bā bā de kàn zhe wǒ
眼巴巴地看着我。

xǐ huan　tài xǐ huan le　nǐ zěn me zhī dào
"喜欢，太喜欢了。你怎么知道

1 手工: handcraft

mā ma xǐ huan
妈妈 喜 欢 ？"

　　　 mā ma wàng le　 cóng xiǎo dào xiàn zài　 nín
　　"妈妈 忘 了？从 小 到 现 在，您
gěi wǒ zhī de máo yī　 máo kù　 dōu shì zhè zhǒng lǜ
给 我 织 的 毛 衣、毛 裤，都 是 这 种 绿
sè　 wǒ néng cóng yì qiān zhǒng yán sè zhōng zhǎo
色。我 能 从 一 千 种 颜 色 中 找
chū zhè zhǒng lǜ sè　 ér zi jué de wǒ tí de wèn tí
出 这 种 绿 色。"儿 子 觉 得 我 提 的 问 题
tài jiǎn dān le
太 简 单 了。

　　　 shì bà ba dài nǐ qù mǎi de　 wǒ xiǎng kě
　　"是 爸 爸 带 你 去 买 的？" 我 想 可
néng shì zhàng fu mǎi de　 wǒ zhēn xīn de gǎn jī
能 是 丈 夫 买 的。我 真 心 地 感 激
zhàng fu　 tā shì nà zhǒng wài biǎo cū lǔ　 nèi xīn
丈 夫，他 是 那 种 外 表 粗 鲁[1]、内 心
wēn róu de nán rén
温 柔[2]的 男 人。

　　　 bù　 shì wǒ zì jǐ qù mǎi de　 ér zi zì háo
　　"不，是 我 自 己 去 买 的！"儿 子 自 豪[3]
de shuō
地 说。

　　　 nǐ nǎ li lái de qián　 wǒ chī jīng de wèn
　　"你 哪 里 来 的 钱？"我 吃 惊 地 问。

　　　 ér zi bù shuō huà le　 yǎn jing què zhí zhí de
　　儿 子 不 说 话 了，眼 睛 却 直 直 地
kàn zhe wǒ
看 着 我。

1 **外表粗鲁**: rude appearance

2 **内心温柔**: gentle heart

3 **自豪**: pride

zhè hái zi bú huì qù tōu ba　wǒ yí xià chǎn
这孩子不会去偷吧？我一下产

shēng le zhè yàng de cāi yí　dàn lì jí jué de ér zi
生了这样的猜疑，但立即觉得儿子

yí dìng bú huì zuò nà zhǒng shì qing　kě ér zi cóng
一定不会做那种事情。可儿子从

nǎ lái de qián ne　bù xíng　wǒ děi wèn qīng chu
哪来的钱呢？不行，我得问清楚。

wǒ bǎ máo xiàn rēng zài chuáng shang　wèn ér
我把毛线扔在床上，问儿

zi　kuài shuō　nǎ lái de　wǒ xī wàng ér zi gěi
子："快说，哪来的？"我希望儿子给

wǒ yí ge hé lǐ de jiě shì
我一个合理的解释。

wǒ zhǎo xiǎo pàng yào de　ér zi qīng chu
"我找小胖要的。"儿子清楚

de huí dá wǒ
地回答我。

zhǎo shéi　wǒ yǐ jīng tīng de hěn qīng chu
"找谁？"我已经听得很清楚

le　kě wǒ hái yào wèn　wǒ bù xiāng xìn　yì zhí hěn
了，可我还要问。我不相信，一直很

dǒng shì de ér zi　zěn me bù tīng huà le
懂事的儿子，怎么不听话[1]了！

zhǎo xiǎo pàng　ér zi hěn yǒng gǎn de kàn
"找小胖。"儿子很勇敢地看

zhe wǒ de yǎn jing
着我的眼睛。

wǒ de tóu lì kè wēng wēng zuò xiǎng　wǒ suǒ
我的头立刻嗡嗡[2]作响，我所

1 听话: obedient
e.g. 他是一个听话的孩子。

2 嗡嗡: (onomatopoeia)
e.g. 蜜蜂嗡嗡地飞。

yǒu de xī wàng dōu pò miè le
有的希望都破灭¹了。

　　　　nǐ shì zěn me qù yào lái de　　wǒ shēng qì
　　"你是怎么去要来的？"我 生 气
de wèn
地问。

　　　　jiù xiàng bié rén gēn zán men yào qián nà
　　"就 像 别人 跟 咱们 要 钱 那
yàng yào huí lái de　　ér zi sì hū jué de wǒ wèn
样 要 回来的。"儿子似乎觉得我问
de tài duō
得太多。

　　　　wǒ de shǒu màn màn de jǔ qǐ lái　ér zi yǐ
　　我的手 慢 慢 地举起来。儿子以
wéi wǒ yào mō tā de tóu　　biàn qīn qīn de kào guò
为我要摸他的头， 便 亲亲地靠过
lái　wǒ jiāng shǒu dǎ zài tā de tóu shang　dāng wǒ
来。我 将 手打在他的头 上 。当我
xiǎng qǐ zá zhì shang shuō guò bú yào dǎ hái zi de tóu
想 起杂志上 说 过不要打孩子的头
shí　yǐ jīng lái bu jí le　ér zi méi yǒu duǒ kāi　tā
时，已经来不及了。儿子没有躲开，他
dāi dāi de wàng zhe wǒ　hǎo xiàng bù zhī dào zì jǐ
呆呆地望 着我，好 像 不知道自己
wèi shén me cuò le
为 什 么错了。

　　　　zhè shì wǒ dì yī cì dǎ ér zi　dàn wǒ gǎn kěn
　　这是我第一次打儿子，但我敢肯
dìng　zhè bú shì zuì hòu yí cì
定，这不是最后一次。

---

1 破灭: shatter

ér zi de yǎn lèi hé wǒ de yǎn lèi dī luò zài lǜ

儿子的眼泪和我的眼泪滴落在绿

máo xiàn shang

毛线上。

yǐ hòu měi dāng mén bèi fēng chuī kāi wǒ dōu

以后，每当门被风吹开，我都

huì xiǎng dào yí ge pàng pàng de kě ài de xiǎo hái

会想到一个胖胖的、可爱的小孩

chū xiàn

出现。

xiǎo pàng zài yě méi yǒu lái guò tā huán

小胖再也没有来过。他还

le qián yě bú yào nà ge huài le de biàn xíng jīn

了钱，也不要那个坏了的变形金

gāng le

刚了。

nà gè zuì dà hào de dà lì jīn gāng bèi wǒ zhān

那个最大号的大力金刚被我粘

hǎo le xiàn zài wǒ men jiā yǒu liǎng ge biàn xíng

好了。现在，我们家有两个变形

jīn gāng kě xī dū bú huì biàn xíng le ér zi yě

金刚，可惜都不会变形了。儿子也

cóng bú qù pèng tā men

从不去碰它们。

This story is an abridged version of Bi Shumin's short story 不会变形的金刚 *from*《小说月报》第四界百花奖获奖作品集, *which is published by Bai Hua Wenyi Publishing House* （百花文艺出版社）, *Tianjin, 2001. The short story* 不会变形的金刚

won the fourth Baihua Prize. The story is also available on the Internet.

About the Author Bi Shumin (毕淑敏):

Bi Shumin is one of the most influential female writers in Chinese contemporary literature. She is now vice chairman of the Beijing Writers Association. She was born in 1952, in Yining, Xinjiang Province and grew up in Beijing. Her ancestral hometown is Wendeng, Shandong Province. She joined the People's Liberation Army in 1969 when she was 16, and was sent to Tibet as an army medic, staying there for 11 years. Her writing career began in 1987 with the publication of 昆仑殇, a fictional novella based on those experiences. She practiced medicine for 22 years. As a physician-turned-writer, she earned her Master of Arts degree at Beijing Normal University. In her works, she grasps clearly the essence of life from all aspects, such as physiology, psychology, ethics and morals. She has published four volumes of 毕淑敏文集, novels 红处方, 拯救乳房 etc., and collections of short stories 昆仑殇, 女人之约, etc. She has published about 4 million words and has won more than 30 prizes both at home and abroad since the late 1980s.

思考题：

1. 故事中的妈妈带儿子逛商场为什么总是躲开玩具柜台？

2. 妈妈最初为什么不想给儿子买变形金刚？后来又为什么买了？

3. 儿子的同学小胖把变形金刚弄坏了，儿子是怎么处理这件事的？

4. 当儿子把别人的变形金刚弄坏了，别人又是怎么处理这件事的？

5. 不一样的处理方式有什么不同的结果？对孩子产生了什么样的影响？

6. 儿子最后是怎么给妈妈买的绿毛线？妈妈为什么打了他？

7. 这是一个儿童成长的故事，你觉得在复杂的社会中，孩子们还能保持纯真吗？

三、讹诈

sān　é　zhà
三、讹诈

yuánzhù　liángxiǎoshēng
原著：梁晓声

 讹诈

Guide to reading:

Different people have different values in life. With the rapid development of the economy, many are bound to pay more attention to practical rather than moral concerns, and are tempted to advance themselves through unethical means. However, there is another group of people who maintain their honesty. The old accountant in the story is an honest and a moral man. He prefers a simple life to a comfortable one built on illegal money. He attempts to return a bribe from the general manager for numerous times. But the general manager misinterprets the accountant's intentions and regards his behavior as blackmail. The different values are revealed in contrast in their inner hearts.

故事正文：

zhè shì yì jiā guó yǒu de yào pǐn gōng sī　　gōng
这是一家国有的药品公司[1]。公

sī zhèng zài gǎi gé　jiāng yào chéng lì yí ge gǔ fèn
司正在改革，将要成立一个股份

gōng sī　　zhè jǐ tiān　gōng sī jīng lǐ tè bié máng
公司[2]。这几天，公司经理特别忙，

yě hěn xīng fèn　yí huìr　zhǎo bù mén kāi huì　yí
也很兴奋，一会儿找部门开会，一

huìr　zhǎo rén tán huà　yǒu de rén gāo xìng　yǒu de
会儿找人谈话。有的人高兴，有的

rén chóu
人愁。

gōng sī de lǎo kuài jì　yào tuì xiū　le　tā jué
公司的老会计[3]要退休[4]了。他觉

de gōng sī de gǎi gé gēn zì jǐ méi shén me guān xi
得公司的改革跟自己没什么关系。

gōng sī de tǐ zhì gǎi gé hé　　shàng shì　　bìng bù
公司的体制改革和"上市"，并不

néng dài gěi tā shén me hǎo chu　tā zài gōng sī yě bú
能带给他什么好处。他在公司也不

shì yí ge zhòng yào rén wù　suǒ yǐ　tā yě jiù méi gǎn
是一个重要人物。所以，他也就没感

dào yǒu shén me xīng fèn　bàn nián yǐ hòu jiù yào tuì
到有什么兴奋，半年以后就要退

xiū le　dàn shì tā hái shi xī wàng jīng lǐ zhǎo tā
休了。但是他还是希望经理找他，

duì tā zuò yì xiē zhǐ shì　yīn wèi gōng sī yǒu yí ge
对他作一些指示。因为公司有一个

1 国有药品公司:
state-owned medicine
company

2 股份公司: joint-stock
company

3 会计: accountant

4 退休: retire

xiǎo jīn kù   xiǎo jīn kù chā bu duō yǒu yì bǎi wàn
小 金 库 ¹，小 金 库 差 不 多 有 一 百 万
yuán   zhè jiàn shì zhǐ yǒu jīng lǐ hé lǎo kuài jì zhī
元 。这 件 事 只 有 经 理 和 老 会 计 知
dào   méi yǒu dì sān ge rén zhī dào
道，没 有 第 三 个 人 知 道 。

　　xiǎo jīn kù de qián shì qí tā gōng sī sòng de
　　小 金 库 的 钱 是 其 他 公 司 送 的 。
jīng lǐ cháng duì tā shuō   zhè xiē qián wǒ shì bú huì
经 理 常 对 他 说 ："这 些 钱 我 是 不 会
yào de   shéi yě bù zhǔn yòng   děng qián duō le   jiù
要 的 。谁 也 不 准 用 。等 钱 多 了，就
gěi quán gōng sī yuán gōng   fēn le   měi ge yuán
给 全 公 司 员 工 ² 分 了，每 个 员
gōng dōu yǒu yí fèn   jīng lǐ de huà shǐ lǎo kuài jì
工 都 有 一 份！"经 理 的 话 使 老 会 计
hěn gǎn dòng   duō hǎo de lǐng dǎo a   xiàn zài zhè
很 感 动 。多 好 的 领 导 啊，现 在 这
me lián jié de lǐng dǎo kě bù duō le   suǒ yǐ   jīng lǐ
么 廉 洁 ³ 的 领 导 可 不 多 了 。所 以，经 理
ràng tā bào xiāo fèi yòng shí   tā zǒng shì hěn kuài de
让 他 报 销 ⁴ 费 用 时，他 总 是 很 快 地
bàn lǐ   yě bù duō wèn shén me   tā jué de zài hǎo de
办 理，也 不 多 问 什 么 。他 觉 得 再 好 的
lǐng dǎo   yě yào yǒu yì xiē   tè shū xiāo fèi   a   rú
领 导，也 要 有 一 些 "特 殊 消 费 ⁵"啊 。如
jīn bàn shì dōu děi lā guān xi ya
今 办 事 都 得 拉 关 系 呀 。

　　yóu yú zhǐ yǒu lǎo kuài jì yí ge rén guǎn lǐ
　　由 于 只 有 老 会 计 一 个 人 管 理

1 小金库：public money in an account established outside of an organization's official account

2 员工: staff, employee

3 廉洁: incorrupt and honest

4 报销: reimburse

5 特殊消费: special consumption

着"小金库",老会计经常觉得自己跟经理的关系很近,觉得自己是经理的心腹[1]。每次经理请客,都把他带上。他很讨厌喝酒,在酒桌上话也不多。他既不能替经理喝酒,也不会替经理照顾客人。他想,经理带上他陪客人吃饭,是抬举[2]他了。这么一想,他心里很满足。尤其是,当经理什么话也不说,把一只手亲切地拍在他肩上时,他的感觉很好。

经理终于来找他了。经理是在电梯口碰见他的。

老会计说:"经理,这几天辛苦了吧?"

经理说:"是啊是啊,忙得晕头

1 心腹: trusted subordinate

2 抬举: favor sb.

zhuàn xiàng
转　向 ¹。"

zhǐ yǒu tā hé jīng lǐ liǎng ge rén chéng diàn
只有他和经理两个人乘电

tī jìn rù diàn tī tā xiǎng qǐng jīng lǐ duì xiǎo
梯。进入电梯，他想请经理对"小

jīn kù zuò chū zhǐ shì dàn kàn jiàn jīng lǐ pí láo de
金库"作出指示，但看见经理疲劳的

yàng zi yě jiù méi shuō chū lái
样子，也就没说出来。

jīng lǐ què zhǔ dòng shuō zán liǎ hái yǒu
经理却主动说："咱俩还有

diǎn shìr tán ne jīn wǎn dào wǒ jiā tán ba bié
点事儿谈呢。今晚到我家谈吧！别

wàng dài shàng zhàng běn jīng lǐ de yì zhī shǒu
忘带上账本 ²。"经理的一只手

xiàng yǐ qián yí yàng zài tā jiān shang pāi le pāi
像以前一样在他肩上拍了拍。

yú shì lǎo kuài jì de xīn li mǎn zú le jīng lǐ zuì tǎo
于是老会计的心里满足了。经理最讨

yàn bié rén dào tā jiā li qù tán gōng zuò gōng sī
厌别人到他家里去谈工作，公司

li de yuán gōng dōu míng bai zhè yì diǎn jīng lǐ
里的员工都明白 ³ 这一点。经理

zhè yàng de duì dài lǎo kuài jì shǐ lǎo kuài jì yǒu
这样地对待老会计，使老会计有

diǎnr shòu chǒng ruò jīng
点儿受宠若惊 ⁴。

wǎn shang zài jīng lǐ jiā jīng lǐ dǎ kāi le yì
晚上，在经理家，经理打开了一

1 晕头转向: confused and disoriented
e.g. 他最近正在准备出国，很多事情都要办，忙得他晕头转向。

2 账本: accountant book

3 明白: know, understand
e.g. 她不明白他为什么说假话。

4 受宠若惊: feel extremely flattered
e.g. 老板这样夸奖他，他简直受宠若惊。

píng hěn guì de fǎ guó pú tao jiǔ　yǔ lǎo kuài jì gé
瓶 很 贵 的 法 国 葡 萄 酒，与 老 会 计 隔
zhe zhuō zi miàn duì miàn zuò zhe　shǒu li ná zhe jiǔ
着 桌 子 面 对 面 坐 着，手 里 拿 着 酒
bēi　màn màn dì hē zhe　dī shēng de tán zhe　tā
杯，慢 慢 地 喝 着，低 声 地 谈 着。他
men tán de dōu shì guān yú gǎn qíng de huà tí　jīng
们 谈 的 都 是 关 于 感 情 的 话 题。经
lǐ de fū rén hé hái zi bú zài jiā　jīng lǐ shuō tā men
理 的 夫 人 和 孩 子 不 在 家，经 理 说 他 们
kàn wén yì yǎn chū qù le
看 文 艺 演 出 去 了……

tā men liáo zhe liáo zhe　zì rán jiù tán dào
他 们 聊 着 聊 着，自 然 就 谈 到
zhèng tí　jīng lǐ jiāng shì xiān bèi hǎo de liǎng wàn
正 题[1]。经 理 将 事 先 备 好 的 两 万
yuán qián ná lái　fàng zài lǎo kuài jì miàn qián　ràng
元 钱 拿 来，放 在 老 会 计 面 前，让
lǎo kuài jì shōu hǎo　tā men zài jiē zhe tán　lǎo kuài
老 会 计 收 好，他 们 再 接 着 谈。老 会
jì yǐ wéi yòu shì fàng jìn　xiǎo jīn kù　de qián　méi
计 以 为 又 是 放 进 "小 金 库" 的 钱，没
duō xiǎng biàn fàng rù le shǒu tí bāo　li
多 想 便 放 入 了 手 提 包[2] 里。

jīng lǐ chóng xīn zuò zài tā duì miàn shí shuō
经 理 重 新 坐 在 他 对 面 时 说：
gěi nǐ de qián　gěi nǐ gè rén de qián
"给 你 的 钱 。给 你 个 人 的 钱 。"
lǎo kuài jì dāi zhù le
老 会 计 呆[3] 住 了。

1 正题: subject

2 手提包: handbag

3 呆: dumbstruck

　　bàn nián hòu nǐ jiù tuì xiū le　　zhè me duō
　"半 年 后 你 就 退 休 了，这 么 多
nián nǐ gōng zuò de hěn xīn kǔ　suǒ yǐ nà shì gěi
年 你 工 作 得 很 辛 苦，所 以 那 是 给
nǐ gè rén de qián　nǐ xīn ān lǐ dé　de jiē shòu jiù
你 个 人 的 钱。你 心 安 理 得¹地 接 受 就
shì le
是 了。"

　　"……"

　　shì wǒ gěi nǐ de　nǐ pà shén me de ne　wǒ
　"是 我 给 你 的，你 怕 什 么 的 呢？我
yòu bú shì zài xiàng nǐ xíng huì
又 不 是 在 向 你 行 贿²。"

　　"……"

　　nǐ bié duō xiǎng le　　wǒ shì cóng　xiǎo jīn
　"你 别 多 想 了。我 是 从 '小 金
kù　li ná de qián
库'里 拿 的 钱 ……"

　　lǎo kuài jì xiǎng qǐ le jīng lǐ céng shuō guò
　老 会 计 想 起 了 经 理 曾 说 过
měi ge yuán gōng dōu yǒu fènr　　lǎo kuài jì
"每 个 员 工 都 有 份 儿"，老 会 计
bú zài huái yí　shén me　tā xiào le　xīn ān lǐ dé
不 再 怀 疑³什 么。他 笑 了，心 安 理 得
de bǎ qián shōu xià le
地 把 钱 收 下 了。

　　lǎo kuài jì yīn wèi yǒu xiē zuì le　yě yīn jiē
　老 会 计 因 为 有 些 醉 了，也 因 接
shòu le liǎng wàn yuán qián ér gāo xìng　huí jiā yí
受 了 两 万 元 钱 而 高 兴，回 家 一

1 心安理得: feel at ease and justified
e.g. 他已经工作了，可总是心安理得地向妈妈要钱。

2 行贿: bribery

3 怀疑: doubt

觉就睡到了第二天早上。早上醒来，他看到了装着两万元的手提包，回忆起昨晚去经理家喝酒的事情，渐渐地不那么心安理得了……

他明白——只有他和经理两个人知道的"小金库"的钱，已经被转移[1]了。剩下的只是很少的一部分，好像原先就只有那么点儿钱。

他明白——经理是想用体制改革的机会把钱转移，留给自己用。

他明白——他实际上参与了经济犯罪[2]。

他明白——如果他不接受那两万元钱，以后他还可以在法律面

1 转移: transfer money from one account to another

2 犯罪: commit a crime
e.g. 这个经理把公司的钱转移到自己账上，最后犯了罪。

qián tì zì jǐ biàn hù   dàn tā yǐ jīng jiāng liǎng wàn
前 替 自 己 辩 护 1，但 他 已 经 将 两 万
yuán qián dài huí zì jǐ jiā le a   nà me tā jīn hòu
元 钱 带 回 自 己 家 了 啊。那 么 他 今 后
chū le wèn tí   tā zěn me tì zì jǐ biàn hù ne
出 了 问 题，他 怎 么 替 自 己 辩 护 呢？

tā míng bai   tā zuò de jiǎ zhàng bù róng
他 明 白——他 做 的 假 账 2 不 容
yì chá chū lái   kě shì zuò de zài hǎo de jiǎ zhàng   zhǐ
易 查 出 来，可 是 做 得 再 好 的 假 账，只
yào rèn zhēn de chá   zuì hòu yě shì huì bèi rén fā xiàn
要 认 真 地 查，最 后 也 是 会 被 人 发 现
de   tā céng jīng qù chá guò bié rén de jiǎ zhàng   ér
的。他 曾 经 去 查 过 别 人 的 假 账，而
xiàn zài zì jǐ què zuò le jiǎ zhàng   xiàn zài zì jǐ
现 在 自 己 却 做 了 假 账，现 在 自 己
yào bèi bié rén chá le
要 被 别 人 查 了。

tā xiǎng dào le ér zi   ér zi zài chóng diǎn dà
他 想 到 了 儿 子。儿 子 在 重 点 大
xué dú shuò shì   yán jiū shēng   jiāng gōng fèi chū guó
学 读 硕 士 3 研 究 生，将 公 费 出 国
dú bó shì
读 博 士 4……

tā xiǎng dào le nǚ ér   nǚ ér yǐ jīng dà xué bì
他 想 到 了 女 儿。女 儿 已 经 大 学 毕
yè   shì yì suǒ chóng diǎn zhōng xué de yīng yǔ jiào
业，是 一 所 重 点 中 学 的 英 语 教
shī   ér nǚ xu   shì zhōng xué zuì nián qīng de fù xiào
师，而 女 婿 5 是 中 学 最 年 轻 的 副 校

1 辩护: defend

2 假账: faked accounts

3 硕士: master's degree

4 博士: doctorate degree

5 女婿: son-in-law

zhǎng　tā men shì yí duì xìng fú de xiǎo fū qī
长 。他 们 是 一 对 幸 福 的 小 夫 妻。

　　　　tā xiǎng dào le tā zì jǐ　dāng le yí bèi zi
　　他 想 到 了 他 自 己。当 了 一 辈 子 [1]

kuài jì　hé qián dǎ le yí bèi zi jiāo dao　tā cóng
会 计,和 钱 打 了 一 辈 子 交 道 [2],他 从

lái méi yǒu zài qián shang fàn guò cuò wù
来 没 有 在 钱 上 犯 过 错 误。

　　　　tā xiǎng dào le tā lǎo bàn　lǎo bàn sǐ yú ái
　　他 想 到 了 他 老 伴 [3]。老 伴 死 于 癌

zhèng　lǎo bàn sǐ qián duì tā shuō　wǒ zuì bú fàng
症 [4]。老 伴 死 前 对 他 说:"我 最 不 放

xīn de shì nǐ de shēn tǐ　zuì fàng xīn de shì nǐ huì lǐng
心 的 是 你 的 身 体!最 放 心 的 是 你 会 领

zhe ér nǚ men zǒu zhèng dào
着 儿 女 们 走 正 道 [5]……"

　　　　tā xiǎng dào le zài dà xué li dú shuò shì de ér
　　他 想 到 了 在 大 学 里 读 硕 士 的 儿

zi xū yào qián
子 需 要 钱 ……

　　　　tā xiǎng dào le nǚ ér yào shēng xiǎo hái yě xū
　　他 想 到 了 女 儿 要 生 小 孩 也 需

yào qián
要 钱 ……

　　　　liǎng wàn yuán duō ma　duì yú yǒu xiē rén
　　两 万 元 多 吗?对 于 有 些 人,

liǎng wàn yuán shì yí ge xiǎo shù zì　kě shì gěi tā de
两 万 元 是 一 个 小 数 字。可 是 给 他 的

ér zi hé nǚ ér měi rén yí wàn yuán qián　tā
儿 子 和 女 儿 每 人 一 万 元 钱 —— 他

1 一辈子: all one's life

2 (打) 交道: have dealings with

3 老伴: (of an old couple) husband or wife

4 癌症: cancer

5 正道: the right way

xiǎng　　ér zi hé nǚ ér jiāng duō me gǎn jī tā
想　，儿子和女儿将 多 么 感激他

a　　　dàn　zuì hòu huì shì shén me jié guǒ ne
啊……但，最后会是什么结果呢?

　　lǎo kuài jì bù gǎn xiǎng xià qù le　　　rén men
　　老 会 计不敢 想 下去了……人们

cháng shuō　　cháng zài hé biān zhàn　　nǎ néng bù shī
常 说，"常 在 河 边 站，哪能不湿

xié　　　kě tā zài qián zhè tiáo　　dà hé　　biān
鞋"1——可他在钱这条"大河"边

zhàn le yí bèi zi　yòu shén me shí hòu shī guò xié ne
站 了一辈子，又 什么 时候湿过鞋呢?

　　tā yuè bù gǎn xiǎng　jiù yuè wǎng xià xiǎng
　　他 越 不 敢 想，就 越 往 下 想，

ér yuè wǎng xià xiǎng　　tā yuè hài pà
而 越 往 下 想，他越害怕……

　　tā hài pà de lián shǒu tí bāo dōu méi dǎ kāi
　　他害怕得连 手 提包 都 没打开，

bù gǎn kàn nà liǎng wàn yuán qián
不 敢 看 那 两 万 元 钱。

　　dì èr tiān　zài shì xiān liǎo jiě dào jīng lǐ bàn
　　第二天，在事先了解到经理办

gōng shì méi yǒu bié rén de shí jiān li　tā tí zhe shǒu
公 室 没 有 别 人 的 时 间 里，他提着手

tí bāo qù jiàn jīng lǐ
提 包去见经理。

　　bù jiǔ zhī hòu　yí jiàn shì jiù fā shēng le
　　不久之后，一件事就发 生 了。

　　lǎo kuài jì sǐ le　shì bèi rén shā sǐ de　lǎo
　　老会计死了，是被人杀死的。老

1 常在河边站(走),哪
能不湿鞋: It is hard
for one not to get wet
shoes by standing or
walking near the river.
It implies that certain
activities carry inherent
risks. In this context, it
suggests that it is in-
evitable for the old ac-
countant to take some
money from the com-
pany.

kuài jì bèi shā de yuán yīn yǔ tā jiē shòu de liǎng wàn
会 计 被 杀 的 原 因 与 他 接 受 的 两 万
kuài qián yǒu zhí jiē de guān xi
块 钱 有 直 接 的 关 系。

nà tiān lǎo kuài jì zǒu jìn jīng lǐ de bàn gōng
那 天，老 会 计 走 进 经 理 的 办 公
shì zǒu dào nà zhāng kuān dà de bàn gōng zhuō
室，走 到 那 张 宽 大 的 办 公 桌
qián cóng shǒu tí bāo nèi qǔ chū liǎng wàn yuán
前，从 手 提 包 内 取 出 两 万 元
qián qīng qīng fàng zài zhuō shang tā yòng fēi
钱，轻 轻 放 在 桌 上。他 用 非
cháng dī de shēng yīn shuō jīng lǐ wǒ jué de wǒ
常 低 的 声 音 说："经 理，我 觉 得，我
bù néng jiē shòu zhè liǎng wàn yuán qián
不 能 接 受 这 两 万 元 钱……"

jīng lǐ mǎ shàng cóng yǐ zi shang tiào qǐ lái
经 理 马 上 从 椅 子 上 跳 起 来，
gǎn máng chā shàng bàn gōng shì de mén tā huí dào
赶 忙 插 上 办 公 室 的 门。他 回 到
lǎo kuài jì shēn páng qiáo qiao zhuō shang nà liǎng
老 会 计 身 旁，瞧 瞧 桌 上 那 两
wàn yuán qián rán hòu kàn zhe lǎo kuài jì yòng
万 元 钱，然 后 看 着 老 会 计，用
gèng dī de shēng yīn shuō nǐ xián qián shǎo le
更 低 的 声 音 说："你 嫌¹ 钱 少 了，
shì bu shì
是 不 是?!"

jīng lǐ jué de lǎo kuài jì bù kěn shōu nà liǎng
经 理 觉 得 老 会 计 不 肯 收 那 两

1 嫌: complain of
e.g. 他嫌这家旅馆
太贵了，就换了一家
旅馆。

wàn kuài qián   shì yīn wèi xián qián shǎo   zhè shì tā
万 块 钱，是 因 为 嫌 钱 少 。这 是 他

cóng tā de jīng yàn dé chū de jié lùn
从 他 的 经 验 得 出 的 结 论 。

lǎo kuài jì gǎn máng shuō   jīng lǐ
老 会 计 赶 忙 说 ："经 理，

wǒ   wǒ bú shì   wǒ zhēn de bú shì
我 …… 我 不 是 …… 我 真 的 不 是 ……

wǒ zhǐ bú guò   lǎo kuài jì jí de bèn kǒu
我 只 不 过 ……" 老 会 计 急 得 笨 口

zhuō shé   tā yí xià zi bù zhī dào yīng gāi rú hé
拙 舌[1]，他 一 下 子 不 知 道 应 该 如 何

zhèng què de biǎo dá zì jǐ de yì si le
正 确 地 表 达 自 己 的 意 思 了 。

nǐ   nǐ xián shǎo yě bù kě yǐ zhè yàng a
"你，你 嫌 少 也 不 可 以 这 样 啊！

jīng lǐ   wǒ zhēn de bú shì xián shǎo
"经 理，我 真 的 不 是 嫌 少 ……"

lǎo kuài jì bú dàn bèn kǒu zhuō shé   ér qiě hái miàn
老 会 计 不 但 笨 口 拙 舌，而 且 还 面

hóng ěr chì le   tā yuè shì xiǎng shuō míng bú shì
红 耳 赤[2] 了 。他 越 是 想 说 明 不 是

xián liǎng wàn yuán qián tài shǎo   què yuè shì ràng
嫌 两 万 元 钱 太 少，却 越 是 让

jīng lǐ gǎn jiào tā xián qián shǎo
经 理 感 觉 他 嫌 钱 少 ……

jīng lǐ cóng yāo shang zhāi xià yí chuàn yào shi
经 理 从 腰 上 摘 下 一 串 钥 匙[3]，

dǎ kāi yí ge chōu ti   cóng zhōng qǔ chū le yí wàn
"打 开 一 个 抽 屉，从 中 取 出 了 一 万

1 笨口拙舌：awkward in speech

2 面红耳赤：to be flushed
e.g. 他们争吵得面红耳赤。

3 钥匙：key

块 钱，然后把钱和桌子上的两

万 块 钱 一 起 装 进了老会计的手

提包里。

经理对老会计悄悄地说："一

会 儿几位部门领导都要到我这里

来开会，有什么想法儿你晚上到

我家去谈好吗？你和我之间，难道还

有什么不可以谈的吗？"

经理没有让老会计再说什

么，把老会计亲热¹地"送"出了办

公室……

当天夜里，老会计失眠²了。他

瞧着手提包发呆。它里面又多

装了一万元钱，老会计心里更

加不安³了，更不敢打开包了。

1 亲热: intimate

2 失眠: suffer from insomnia; sleeplessness

3 不安: unease

cāng tiān zài shàng　wǒ bú shì xián shǎo
"苍 天 在 上 ¹, 我 不 是 嫌 少……"

tā bù yóu de shuō le yí jù
他 不 由 得² 说 了 一 句。

jǐ tiān yǐ hòu de yí ge zhōng wǔ　lǎo kuài jì
几 天 以 后 的 一 个 中 午, 老 会 计

lí kāi gōng sī　zài mǎ lù páng de gōng yòng diàn huà
离 开 公 司, 在 马 路 旁 的 公 用 电 话

tíng wǎng jīng lǐ bàn gōng shì dǎ le yí cì diàn huà
亭³ 往 经 理 办 公 室 打 了 一 次 电 话。

jīng lǐ ma　nín xiàn zài shuō huà fāng
"经 理 吗? 您 现 在 说 话 方

biàn ma
便 吗?"

jīng lǐ zhèng dú zì zài bàn gōng shì xiū xi　tā
经 理 正 独 自 在 办 公 室 休 息。他

lì kè tīng chū le lǎo kuài jì de shēng yīn　jǐn guǎn
立 刻 听 出 了 老 会 计 的 声 音。尽 管

zhǐ yǒu tā yí ge rén zài bàn gōng shì lǐ　tā hái shi
只 有 他 一 个 人 在 办 公 室 里, 他 还 是

yòng lìng yì zhī shǒu wǔ shàng le diàn huà
用 另 一 只 手 捂⁴ 上 了 电 话。

fāng biàn　kě nǐ zài nǎr　gěi wǒ dǎ
"方 便。可 你 在 哪 儿 给 我 打

diàn huà
电 话?!"

zài wài bian　zài mǎ lù páng biān de gōng
"在 外 边, 在 马 路 旁 边 的 公

yòng diàn huà tíng　jīng lǐ　nín wù huì le　wǒ
用 电 话 亭……经 理, 您 误 会 了。我

1 苍天在上: Heaven only knows...

2 不由得: can not help

3 公用电话亭: phone-booth

4 捂: cover

bú shì xián shǎo　qǐng nín nài xīn tīng wǒ jiě shì
不 是 嫌 少 。请 您 耐 心 听 我 解 释，
wǒ　　wǒ
我 …… 我 ……"

hǎo la　bié jiě shì le　xià bān yǐ hòu　wǒ zài
"好 啦，别 解 释 了！下 班 以 后，我 在
bàn gōng shì děng nǐ　yǒu huà dāng miàn　shuō
办 公 室 等 你，有 话 当 面 [1] 说！"

jīng lǐ　pā　de yí shēng fàng xià le diàn huà
经 理 "啪" 地 一 声 放 下 了 电 话。
lǎo kuài jì zài gōng yòng diàn huà tíng qián wò zhe huà
老 会 计 在 公 用 电 话 亭 前 握 着 话
tǒng fā dāi
筒 发 呆。

jīng lǐ xiǎng　hái pǎo dào gōng yòng diàn huà
经 理 想：还 跑 到 公 用 电 话
tíng gěi wǒ dǎ diàn huà lái le
亭 给 我 打 电 话 来 了！

jīng lǐ rào zhe bàn gōng zhuō zǒu le　yì quān
经 理 绕 着 办 公 桌 走 了 一 圈，
yòu zǒu yì quān　xīn li tū rán chǎn shēng yì zhǒng
又 走 一 圈，心 里 突 然 产 生 一 种
bèi é zhà de gǎn jué　　bàng wǎn　lǎo kuài jì chū
被 讹 诈 [2] 的 感 觉 …… 傍 晚，老 会 计 出
xiàn zài jīng lǐ de bàn gōng shì　　hǎo xiàng jīng lǐ
现 在 经 理 的 办 公 室 …… 好 像 经 理
yǐ jīng děng le hěn jiǔ le
已 经 等 了 很 久 了。

jīng lǐ kè qi de shuō　　zuò ba　xiàn zài zhǐ
经 理 客 气 地 说："坐 吧。现 在 只

1 当面: face to face

2 讹诈: blackmail

yǒu nǐ wǒ èr rén   nǐ jiū jìng xiǎng yào duō shao qián
有 你 我 二 人。你 究 竟 想 要 多 少 钱
cái mǎn zú   kāi mén jiàn shān ba
才 满 足,开 门 见 山 ¹ 吧!"

　　nà shì yì zhǒng kè qi de tài du   dàn lǎo kuài
　　那 是 一 种 客 气 的 态 度,但 老 会
jì tū rán gǎn dào   tā yǐ bú zài shì jīng lǐ de xīn fù
计 突 然 感 到,他 已 不 再 是 经 理 的 心 腹
le   jīng lǐ yǐ jīng bú zài xiāng xìn tā le   lǎo kuài jì
了,经 理 已 经 不 再 相 信 他 了。老 会 计
xīn zhōng yí xià zi gǎn dào le jǔ sàng hé bēi āi
心 中 一 下 子 感 到 了 沮 丧 和 悲 哀 ²。

　　lǎo kuài jì gǎn dào hěn wéi nán   shuō
　　老 会 计 感 到 很 为 难 ³,说:
jīng lǐ   wǒ zěn me cái néng xiàng nín jiě shì qīng
" 经 理,我 怎 么 才 能 向 您 解 释 清
chu ne
楚 呢?"

　　jīng lǐ màn màn de shuō   jì rán lián zì jǐ
　　经 理 慢 慢 地 说:"既 然 连 自 己
dōu jiě shì bù qīng chu   nà jiù bié jiě shì le   xiàn shí
都 解 释 不 清 楚,那 就 别 解 释 了。现 实
zhōng yǒu xiē shì běn lái jiù bù xū yào jiě shì de   nǐ
中 有 些 事 本 来 就 不 需 要 解 释 的。你
bù jiě shì   wǒ hái qīng chu   nǐ yì jiě shì   wǒ dào hú
不 解 释,我 还 清 楚;你 一 解 释,我 倒 糊
tu le
涂 ⁴ 了……"

　　jīng lǐ shuō zhe   bǎ shǒu shēn jìn xī fú
　　经 理 说 着,把 手 伸 进 西 服 ⁵,

---

1 开门见山: come straight to the point
e.g. 他说话总是开门见山,大家很喜欢他说话的方式。

2 沮丧和悲哀: depressed and sorrowful

3 为难: feel awkward
e.g. 他很为难,不知道该不该帮她。

4 糊涂: confused, bewildered

5 西服: suit

拿出了一个存折[1]，伸在老会计
眼前……

经理又说："中午接到你从
外边打来的电话，我下午办的第一
件事是亲自去银行，将我家的一个
存折改成了你的名字。我一时也
搞不到许多现金[2]。如果你真的不
嫌少，那你就收下。如果你收下
了，那你就别再来向我解释。就算我
求你，啊？"

经理说完，将存折放在了桌
上。老会计看了看存折，却没伸
手去碰它。

"满足不满足，你总得拿起来
看看啊！"经理的态度客气而又彬彬

1 存折: bankbook

2 现金: cash

yǒu lǐ　　kě shì lǎo kuài jì tài wéi nán le　rú guǒ
有 礼¹，可是 老 会 计 太 为 难 了。如果

tā shuō zì jǐ pà shòu qiān lián　　nà me yě jiù shì
他 说 自 己 怕 受 牵 连²，那么 也 就 是

shuō jīng lǐ ràng tā zuò de shì shì fàn zuì　　dàn shì
说 经 理 让 他 做 的 事 是 犯 罪。但 是，

rú guǒ jīng lǐ wèn tā　　nǐ gēn jù shén me rèn
如 果 经 理 问 他："你 根 据 什 么 认

wéi wǒ xiǎng tān wū　nà bǐ qián　　tā yòu huí dá
为 我 想 贪 污³那 笔 钱？"他 又 回 答

bú shàng lái　kě shì rú guǒ jīng lǐ bù xiǎng tān wū
不 上 来。可是 如 果 经 理 不 想 贪 污

nà bǐ qián　tā yòu wèi shén me gěi zì jǐ nà me
那 笔 钱，他 又 为 什 么 给 自 己 那 么

duō de qián
多 的 钱？

wǒ zài shuō yí biàn　qǐng nǐ ná qǐ lái kàn yí
"我 再 说 一 遍，请 你 拿 起 来 看 一

kàn　rú guǒ nǐ zhēn de bù xián shǎo le　nà nǐ jiù
看。如果 你 真 的 不 嫌 少 了，那 你 就

shōu xià
收 下。"

lǎo kuài jì ná qǐ cún zhé　fān kāi kàn le yì
老 会 计 拿 起 存 折，翻 开 看 了 一

yǎn　cún zhe yí wàn yuán　zhè shí diàn huà xiǎng
眼，存 着 一 万 元。这 时 电 话 响

le　　jīng lǐ jiē diàn huà de shí hou　lǎo kuài jì
了……经 理 接 电 话 的 时 候，老 会 计

ná qǐ cún zhé zǒu le
拿 起 存 折 走 了。

1 彬彬有礼: refined
and courteous
e.g. 他接待客人既热
情又彬彬有礼。

2 牵连: implicate

3 贪污: corrupt

tā yǐ jīng liǎng cì xiǎng tuì huí jīng lǐ gěi tā de
他已经 两次 想 退回 经理给他的

liǎng wàn yuán jié guǒ què shǐ liǎng wàn yuán biàn
两 万 元，结果却使 两 万 元 变

chéng le sì wàn yuán rú guǒ tā dāng shí bù lí kāi
成了四万元。如果他当时不离开，

jīng lǐ jiāng rèn wéi tā hái bù mǎn zú rú guǒ tā jì
经理 将 认为他还不满足。如果他继

xù jiě shì qíng kuàng huì gèng zāo gāo tā bú yuàn
续解释，情 况 会 更 糟糕。他不愿

jiāng liǎng rén zhī jiān de guān xi gǎo de tài jiāng tā
将 两人之间的 关系搞得太僵[1]。他

zhǐ shì xī wàng jīng lǐ néng gòu lǐ jiě tā shǐ zì jǐ
只是希望 经理能够理解他，使自己

bǎi tuō nèi xīn de bù ān yú shì tā jiù qiāo qiāo de lí
摆脱[2]内心的不安。于是他就 悄 悄地离

kāi le
开了……

huí dào jiā li tā dài shàng yǎn jìng zài kàn
回到家里，他戴 上 眼 镜 再看

nà cún zhé yuán lái bú shì cún zhe yí wàn yuán
那存折，原来不是存着一万元，

ér shi cún zhe shí wàn yuán tā mǎ shàng wǎng jīng
而是存着十万元！他马上 往 经

lǐ bàn gōng shì dǎ diàn huà jīng lǐ yǐ jīng bú zài
理办公室打电话，经理已经不在

le tā wǎng jīng lǐ jiā dǎ diàn huà jīng lǐ hái
了。他往 经理家打电话，经理还

méi huí jiā
没回家……

1 僵: get things into an impasse
e.g. 不要把事情弄僵了，以至以后无法解决。

2 摆脱: get rid of
e.g. 他想外出旅游，摆脱工作中的烦恼。

dì èr tiān lǎo kuài jì méi shàng bān　jīng lǐ
第二天老会计没上班。经理
yòu jiē dào le lǎo kuài jì yí cì diàn huà　lǎo kuài jì
又接到了老会计一次电话。老会计
zài diàn huà li shuō　tiān dì liáng xīn　yǐ jīng yǒu
在电话里说："天地良心¹，已经有
shí sān wàn yuán shǔ yú wǒ le　wǒ zěn me hái huì
13 万元属于我了，我怎么还会
xián shǎo ne　nǚ ér nǚ xù zhì jīn zhù zài yì jiān lǎo
嫌少呢?女儿女婿至今住在一间老
fáng zi li　shí sān wàn yuán dōu gòu tā men mǎi yí
房子里，13 万元都够他们买一
tào fáng zi le　dàn shì qing bú shì qián de wèn tí a
套房子了!但事情不是钱的问题啊!"

lǎo kuài jì yuè xiǎng jiě shì qīng chu　què yuè jiā
老会计越想解释清楚，却越加
bèn kǒu zhuō shé
笨口拙舌。

jīng lǐ dǎ duàn le tā de huà　lěng lěng de
经理打断²了他的话，冷冷地
shuō　nǐ zhōng yú biàn de tǎn shuài le　zhè tǐng
说："你终于变得坦率³了，这挺
hǎo　wǒ shí fēn gǎn xiè nǐ tán dào le nǐ nǚ ér nǚ xu
好。我十分感谢你谈到了你女儿女婿
de fáng zi wèn tí　wǒ xiàng nǐ bǎo zhèng　fáng zi
的房子问题。我向你保证，房子
tā men huì yǒu de
他们会有的!"

jīng lǐ yì shuō wán jiù shuāi xià le diàn huà
经理一说完就摔下了电话，

1 天地良心: speak the truth

2 打断: interrupt

3 坦率: frank

e.g. 双方坦率地进行了会谈。

同时狠狠地骂了一句："老流氓[1]！"这时经理确实感到自己被讹诈了。

他愤怒地拔掉了电话线……三天后，老会计收到了一份特快专递[2]，里面只有一把钥匙和一张纸条。纸条上是一处地址。老会计按照纸条去看了那套房子。很宽的一套两居室楼房。如果对女儿和女婿说是他们的了，小两口一定会喜出望外[3]的。他听公司里的人说，经理给公司多买了一套房子，他想可能是这一套吧……

又过了几天，公司热热闹闹地开了一个庆祝大会[4]。在会上，经理被宣布为新成立的股份公

1 流氓: blackguard

2 特快专递: express mail

3 喜出望外: overjoyed
e.g. 他接到去北京参加比赛的通知，真是喜出望外。

4 庆祝大会: celebratory meeting

sī de zǒng cái
司 的 总 裁¹。

　　dāng rén men fēn fēn xiàng jīng lǐ zhù jiǔ shí
　　当 人 们 纷 纷 向 经 理 祝 酒² 时，
mì shū jiāng jīng lǐ qǐng dào yì páng dī shēng
秘 书³ 将 经 理 请 到 一 旁， 低 声
shuō bàn gōng shì li yǒu diàn huà zài děng tā jiē
说 ， 办 公 室 里 有 电 话 在 等 他 接。
jīng lǐ shēng qì de shuō nǐ bú huì shuō wǒ bú zài
经 理 生 气 地 说 ："你 不 会 说 我 不 在
ma mì shū shuō duì fāng shuō yǒu hěn zhòng
吗 ?!" 秘 书 说 ："对 方 说 有 很 重
yào de shì yǔ nín tán nà ge duì fāng bú shì bié
要 的 事 与 您 谈。" 那 个 "对 方" 不 是 别
rén zhèng shì lǎo kuài jì
人 ， 正 是 老 会 计。

　　jīng lǐ nín yě huì shōu dào yí fèn tè kuài
　　" 经 理，您 也 会 收 到 一 份 特 快
zhuān dì lǐ miàn yǒu shǔ yú nín de fáng zi de yào
专 递。里 面 有 属 于 您 的 房 子 的 钥
shi hái yǒu nín nà ge cún zhé nín yǐ qián gěi wǒ de
匙，还 有 您 那 个 存 折。您 以 前 给 我 的
sān wàn yuán qián wǒ dōu cún rù cún zhé le wǒ zuì
三 万 元 钱，我 都 存 入 存 折 了。我 最
hòu zài jiě shì yí cì wǒ bú shì xián qián shǎo
后 再 解 释 一 次，我 不 是 嫌 钱 少。"

　　wèi wèi
　　" 喂，喂！"

　　lǎo kuài jì bǎ diàn huà guà duàn le
　　老 会 计 把 电 话 挂 断 了。

1 总裁: president (of a company)

2 祝酒: toast

3 秘书: secretary

经理狠狠地骂了两个字——"妈的！"经理坐在他的老板椅子上，想到了"人心不足蛇吞象[1]"那句成语，内心里感到一种被讹诈的恐惧[2]……

老会计死了。在老会计被人杀死不久，经理成了被告人[3]。在事实面前，他承认了杀人的罪行。他的律师[4]替他辩护，请求减刑[5]。律师讲了老会计的讹诈过程，强调一次接一次地被讹诈给被告人"经理"带来的恐惧。这时被告人"经理"双手捂着脸哭了。他原来想把那笔只有他和老会计知道的"小金库"的钱变成自己的钱，他却怎么也没想

1 人心不足蛇吞象: A man whose heart is not content is like a snake which tries to swallow an elephant. This saying implies that one is too greedy for something.

2 恐惧: fear

3 被告人: defendant

4 律师: lawyer

5 减刑: commute a sentence

到自己会被一个自己最相信的人讹诈了。他确实感到自己被一次次讹诈了。13万元加上一套商品房，他给老会计的钱不算少了！

听众席上也有人在哭，是老会计的儿子、女儿和女婿……

他们不能理解他们的父亲怎么会变得那么贪钱[1]，一次次地不满足，一次次地讹诈他人。

法庭特别安静。许多旁听者[2]开始同情被告人了。

一次次退钱的老会计，并不是因为嫌钱少，而是想要退掉非法[3]得到的钱——可是今天谁还相信这样的事呢？要证明这样的事是一

---

1 贪钱: to be greedy for money

2 旁听者: spectator

3 非法: illegal

ge shì shí   zhēn shì tài nán le
个 事实，真 是 太 难 了。

fǎ tíng méi yǒu gěi bèi gào rén   jīng lǐ
法 庭 没 有 给 被 告 人 " 经 理"
jiǎn xíng   dàn bù shǎo de páng tīng zhě dōu xiāng
减 刑。但 不 少 的 旁 听 者 都 相
hù shuō   nà lǎo jiā huo yě sǐ de huó gāi
互 说："那 老 家 伙 也 死 得 活 该[1]！"
zhè xiē huà xiàng dāo zi yí yàng shēn shēn de cì
这 些 话 像 刀 子一 样 深 深 地 刺
rù lǎo kuài jì de ér zi   nǚ ér hé nǚ xu de xīn
入 老 会 计 的 儿 子、女 儿 和 女 婿 的 心
li   tā men wèi fù qin gǎn dào xiū chǐ   yú
里。他 们 为 父 亲 感 到 羞 耻[2]。于
shì   tā men de nèi xīn   yě yǒu xiē bǐ shì lǎo
是，他 们 的 内 心，也 有 些 鄙 视[3] 老
kuài jì le
会 计 了……

1 活该: serve right

2 羞耻: shame

3 鄙视: despise

This story is an abridged version of Liang Xiaosheng's 讹诈 in 小说月报 2001 年精品集, which is published by Bai Hua Wen Yi Publishing House （百花文艺出版社), Tianjin, 2002. The story is also available on the Internet.

About the Author Liang Xiaosheng（梁晓声）:

Liang Xiaosheng is one of China's celebrated contemporary writers and a professor at the Beijing Language University. He was born in

1949 in Ha'erbin. His ancestral home is Rongcheng, Shandong Province. In 1968, he joined the movement of "Shang Shan Xia Xiang (上山下乡 the movement of intellectual youngsters going to the countryside)". in 1977, he graduated from the Chinese Department of Fudan University, and in 1979 began to publish his works. His major works include a series of novel collections including 天若有情, 白桦树皮灯罩, 黑纽扣; full-length novels such as 这是一片神奇的土地, 雪城 and 年轮.

Liang's works generally fall into two categories: the novels about "intellectual youngsters" and the realistic and natural novels. His novels about the intellectual youngsters represent a generation of intellectual youngsters' pursuit of their ideals during the Cultural Revolution. 今夜有暴风雪 is regarded as a masterpiece among novels about Intellectual Youngsters. The novel expresses the overall artistic style of Liang's novels about Intellectual Youngsters. 雪城 and 年轮 are also regarded as among his best novels. Liang's works of the other category are relatively realistic and natural and typically recount stories about urban, rural, academic and household life, and reflect his intention to explore his own view of life and embody a lively realistic style.

His short stories 这是一片神奇的土地 and 父亲 won the Prize for the Best Chinese Short Story (全国优秀短篇小说奖) in 1984. His novella 今夜有暴风雪 won the Prize for the Best Chinese Novella (全国优秀中篇小说奖), and he has won the Baihua Prize(百花奖) many times. He has also published film and television scripts.

思考题：

1. 最初经理对老会计的态度怎么样？
2. 老会计为什么不肯接受经理给他的钱？
3. 老会计不肯接受经理给的钱，又解释不清楚，经理对这件事是怎么看的？
4. 老会计的内心痛苦是什么？
5. 经理的内心痛苦是什么？他为什么杀死了老会计？
6. 老会计死了，人们说他是因讹诈经理而死的，他的女儿、女婿、儿子都为他感到羞耻。你是怎么理解老会计的？
7. 这个故事给人们带来了什么启示？

yuánzhù liúqìngbāng
原 著：刘 庆 邦

四　遍地白花

Guide to reading:

In a small quiet village far from the metropolis, villagers live a simple
and quiet life, where they know nothing about painting. One day a fe-
male painter comes to the small old village to paint the beauty of na-
ture, the simple life, and the pure feelings of the villagers. At first the
villagers are curious about the painter and her painting. Then the vil-
lagers begin to love the painter. The female painter discovers and
grasps the beauty of the old things, the kindness of the villagers, and
puts all of them into her painting. Her paintings arouse the villagers'
awareness to appreciate the beauty around them and their instinctive
love of life.

故事正文：

qiū shōu zhī hòu cūn zi li lái le yí ge nǔ
秋 收¹之后，村子²里来了一个女
huà jiā bù zhī dào huà jiā shì cóng nǎ li lái de tā
画家。不知道画家是从哪里来的。她
yì lái jiù zhǎo le yì jiā fáng dōng zhù xià le xiàn
一来就找了一家房东³住下了。现
zài tián dì li méi le zhuāng jia méi le hú lu jià
在田地里没了庄稼，没了葫芦架，
shù shang de guǒ zi yě zhāi guāng le nǔ huà jiā bēi
树上的果子也摘光了。⁴女画家背
zhe xiāng zi lái le cūn li rén bù zhī dào tā yǒu shén
着箱子来了，村里人不知道她有什
me kě huà de zhè ràng cūn li rén gǎn dào yǒu xiē
么可画的。这让村里人感到有些
qiàn yì tā men rèn wéi nǔ huà jiā lái wǎn le cuò
歉意⁵。他们认为女画家来晚了，错
guò le hǎo shí hou rú guǒ nǔ huà jiā chūn tiān lái
过⁶了好时候。如果女画家春天来，
huò zhě xià tiān lái zuì hǎo shì qiū shōu zhī qián lái
或者夏天来，最好是秋收之前来，
nà cūn zi li jiù yǒu tài duō de dōng xi kě huà le
那村子里就有太多的东西可画了。
zhè huìr tián li guāng guāng de yào hóng méi
这会儿田里光 光的，要红没
hóng yào lǜ méi lǜ yào jīn huáng méi jīn huáng
红，要绿没绿，要金黄没金黄，
yǒu shén me kě huà de ne rén men gū jì nǔ huà jiā
有什么可画的呢？人们估计，女画家

1 秋收: harvest

2 村子: village

3 房东: landlord

4 现在田地里没了庄
稼... : After harvest,
there are no crops, no
calabash awning, no
fruits on trees.

5 歉意: apology
e.g. 他把同屋吵醒
了，他向他们表示歉
意。

6 错过: miss
e.g. 他生病了，错过
了这次考试。

zhù bu liǎo liǎng tiān jiù děi zǒu
住 不 了 两 天 就 得 走 。

　　hǎo jǐ tiān guò qù le 　 nǚ huà jiā méi yǒu zǒu
　　好 几 天 过 去 了 ，女 画 家 没 有 走 。

tā měi tiān zhèr 　 zhuàn zhuan 　 nàr 　 qiáo qiao
她 每 天 这 儿 转 　转 ，那 儿 瞧 瞧 ，

kàn hǎo yí ge dì fang 　 jiù dǎ kāi tǐng dà de huà jiā zi
看 好 一 个 地 方 ，就 打 开 挺 大 的 画 夹 子 ¹

huà qǐ lái 　 nǚ huà jiā huà le shén me hěn kuài jiù
画 起 来 。女 画 家 画 了 什 么 很 快 就

chuán kāi le 　 nǚ huà jiā huà le zhāng jiā gǔ jiù de
传 开 了 。女 画 家 画 了 张 家 古 旧 的

mén lóu zi 　 huà le wáng jiā yì kē lǎo liǔ shù 　 yòu
门 楼 子 ²，画 了 王 家 一 棵 老 柳 树 ³，又

huà le jiē kǒu yí zuò gǔ jiù de niǎn pán 　 děng děng
画 了 街 口 一 座 古 旧 的 碾 盘 ⁴ 等 等 。

měi dāng nǚ huà jiā dào le yì jiā 　 kāi shǐ huà huà de
每 当 女 画 家 到 了 一 家 ，开 始 画 画 ⁵的

shí hou 　 zhè jiā de rén yì kāi shǐ dōu yǒu diǎn jǐn
时 候 ，这 家 的 人 一 开 始 都 有 点 紧

zhāng 　 bù zhī dào zhè ge nǚ huà jiā jiū jìng yào bǎ tā
张 ，不 知 道 这 个 女 画 家 究 竟 要 把 他

men jiā de dōng xi huà chéng shén me yàng 　 nǚ huà
们 家 的 东 西 画 成 什 么 样 。女 画

jiā zuò huà shí 　 zhè yì jiā rén jiù zài páng biān kàn
家 作 画 时 ，这 一 家 人 就 在 旁 边 看 ，

nǚ huà jiā huà yì bǐ 　 tā men kàn yì bǐ 　 děng nǚ huà
女 画 家 画 一 笔 ，他 们 看 一 笔 。等 女 画

jiā bǎ huà zuò wán le 　 tā men jiù bǎ nǚ huà jiā huà
家 把 画 作 完 了 ，他 们 就 把 女 画 家 画

1 画夹子：painting folder

2 门楼子: arch over a gateway

3 柳树: willow

4 碾盘: lower millstone

5 画画: draw a picture, same as 作画
画: draw or paint a picture; picture

de huà hé tā men de dōng xi jìn xíng bǐ jiào cái zhī
的 画 和 他 们 的 东 西 进 行 比 较 ，才 知
dào nǚ huà jiā huà de dōng xi hé tā men jiā de dōng
道 女 画 家 画 的 东 西 和 他 们 家 的 东
xi bù yí yàng nǚ huà jiā de huà huà wán le tā
西 不 一 样 ，女 画 家 的 画 画 完 了 ，他
men de dōng xi yě yì diǎnr dōu bù shǎo zhè
们 的 东 西 也 一 点 儿 都 不 少 。这
yàng tā men jiù fàng xīn le bìng jiàn jiàn lù chū le
样 他 们 就 放 心 了 ，并 渐 渐 露 出 了
wēi xiào
微 笑 。

cūn li rén duì nǚ huà jiā de huà yě zuò chū le yì
村 里 人 对 女 画 家 的 画 也 作 出 了 一
xiē píng jià tā men píng jià huà de shí hou jiù ná
些 评 价[1]。他 们 评 价 画 的 时 候 ，就 拿
huà shang de dōng xi gēn tā men de dōng xi jìn xíng
画 上 的 东 西 跟 他 们 的 东 西 进 行
bǐ jiào zhāng jiā de mén lóu zi shì hěn jiǔ yǐ qián xiū
比 较 。张 家 的 门 楼 子 是 很 久 以 前 修
jiàn de gāo dà ér jiān gù mén lóu zi shàng miàn de
建 的 ，高 大 而 坚 固 。门 楼 子 上 面 的
wǎ shì hēi de yǒu de dì fang hái zhǎng zhe cǎo lóu
瓦[2]是 黑 的 ，有 的 地 方 还 长 着 草 。楼
dǐng liǎng duān de dūn shòu yǐ jīng cán quē bù quán
顶 两 端 的 蹲 兽[3]已 经 残 缺 不 全[4]，
zhǐ yǒu dà mén liǎng biān de zhuān diāo hái néng kàn
只 有 大 门 两 边 的 砖 雕[5]还 能 看
de qīng chu nǚ huà jiā bǎ zhè xiē dōu huà dào huà li
得 清 楚 。女 画 家 把 这 些 都 画 到 画 里

1 评价: appraisal

2 瓦: tile

3 蹲兽: squatting beasts

4 残缺不全: incomplete

5 砖雕: brick sculpture

了，但有人说女画家画得很像，有人说画得不像；有人说把门楼子画高了，也有人说画低了。

女画家不在乎[1]人们的评价，该怎么画还怎么画。村里的一位老汉[2]家里有一辆古老的太平车[3]。太平车是木制的，现在人们都不用了。但是老汉还是保留了一辆太平车。女画家把太平车画下来了。老汉只是往画面上看了一眼，就到一旁蹲着去了。老汉认为女画家是大地方来的人，他觉得还是大地方的人识货[4]啊！如果画家是个男的，老汉一定会把画家请到家里，喝上两杯。画家是个女的，老汉只能用毛巾包上

1 不在乎: not care; not mind

e.g. 他很喜欢唱歌，他不在乎别人怎么评价他。

2 老汉: old man

3 太平车: a kind of handcart with one or two wheels

4 识货: be able to tell good from bad

e.g. 这是最好的茶叶，可是他不识货。

jǐ ge xīn xiān jī dàn　gěi nǚ huà jiā sòng qù　nǚ huà
几个新鲜鸡蛋，给女画家送去。女画

jiā kuā lǎo hàn de jī dàn hǎo　yào fù gěi lǎo hàn
家夸老汉的鸡蛋好，要付给老汉

qián　lǎo hàn dāng rán bú huì shōu qián　lǎo hàn shuō
钱。老汉当然不会收钱。老汉说

tā de jī dàn bù zhí qián　nǚ huà jiā de huà qiān jīn
他的鸡蛋不值钱，女画家的画千金

nán mǎi
难买[1]。

lǎo hàn de píng jià shǐ quán cūn rén dōu jué de nǚ
老汉的评价使全村人都觉得女

huà jiā liǎo bu qǐ　tā men huí dào zì jǐ jiā de yuàn
画家了不起。他们回到自己家的院

zi li　zhuàn zhe quān dōng kàn xī kàn　bǎ shí liu
子里，转着圈东看西看，把石榴

shù　qiáng shang guà zhe de hóng là jiāo　shèn zhì
树[2]、墙上挂着的红辣椒[3]，甚至

lián tiān kōng de bái yún dōu kàn dào le　zhè xiē píng
连天空的白云都看到了。这些平

cháng de dōng xi　shuō bu dìng ràng nǚ huà jiā yí
常的东西，说不定让女画家一

kàn　jiù chéng le hǎo kàn de dōng xi　ràng nǚ huà
看，就成了好看的东西；让女画

jiā yòng bǐ yí huà　jiù chéng le yì fú huà　cūn li
家用笔一画，就成了一幅画。村里

de rén dōu xī wàng nǚ huà jiā néng dào tā men jiā li
的人都希望女画家能到他们家里

huà yì huí
画一回。

小扣子是村里的一个小男孩，也
盼望着女画家到他们家作画。自
从女画家来到这个村，小扣子天
天跟着女画家。女画家走到哪里，他
也走到哪里。女画家看什么，他也看
什么。女画家停下来作画，他就悄
悄地看，从第一笔看起，一直看到
女画家把一幅画作完。可以说女画
家作的每一幅画，小扣子都看过。
谁要是问女画家哪天在哪里画了
什么画，只要问小扣子就行了。不
过没人问小扣子。就是有人问小
扣子，他也不一定回答。小扣子是个
不爱说话的孩子。

这天早上，小扣子一爬起来，就

满村子寻找女画家。女画家不睡懒觉[1]，每天一早就开始作画，所以小扣子也不睡懒觉了。小扣子家有一只黄狗，黄狗本来正和几只鹅在一块儿待着，见小扣子出门，它马上就跟小扣子跑了。黄狗是小扣子最好的朋友，小扣子到哪它也跟到哪。太阳还没出来，公鸡[2]在叫，小鸟在叫，一些人家正在做早饭。村街上到处都是浓浓的烟火[3]味。这种烟火味是很香的，但你说不清是哪一种香。有的家烧麦秸[4]，有的家烧芝麻秆[5]，等等。每样柴火[6]散发一种香，各种香飘到村街上，就

1 睡懒觉: sleep late in the morning
e.g. 周末人们喜欢在家睡懒觉。

2 公鸡: cock

3 烟火: smoke and fire (to prepare food)

4 麦秸: wheat straw

5 芝麻杆: sesame straw

6 柴火: firewood such as faggot, dried grass, wheat straw etc.

xíng chéng le zhè zhǒng cūn zi li de yān huǒ wèi
形 成 了 这 种 村子里的 烟 火 味 。

cūn li rén yuán lái bìng bù jué de yān huǒ wèi zěn me
村里人 原 来 并 不 觉 得 烟 火 味 怎 么

xiāng ér nǚ huà jiā yí jìn cūn jiù wén chū lái le tā
香 ，而 女 画 家 一 进 村 就 闻 出 来 了 。她

shuō āi ya zhēn xiāng nǚ huà jiā zhè me yì
说 „哎 呀 ， 真 香 ！ 女 画 家 这 么 一

shuō dà jiā yòng bí zi xī le xī shì xiāng cūn li
说 ，大 家 用 鼻 子 吸 了 吸 ，是 香 。村里

yí gòng sān tiáo jiē xiǎo kòu zi hé huáng gǒu zài yān
一 共 三 条 街 ，小 扣 子 和 黄 狗 在 烟

huǒ wèir li zǒu biàn le sān tiáo jiē hái méi kàn
火 味 儿 里 走 遍 了 三 条 街 ，还 没 看

jiàn nǚ huà jiā zài nǎ li xiǎo kòu zi gǎn dào hěn
见 女 画 家 在 哪 里 。 小 扣 子 感 到 很

máng rán nǚ huà jiā huì dào nǎ li qù tā kàn
茫 然 ¹ ，女 画 家 会 到 哪 里 去 ？他 看

huáng gǒu huáng gǒu yě shì yì liǎn de máng rán
黄 狗 ， 黄 狗 也 是 一 脸 的 茫 然 。

zài kàn huáng gǒu huáng gǒu jiù bǎ tóu dī xià qù
再 看 黄 狗 ， 黄 狗 就 把 头 低 下 去

le hǎo xiàng zhǎo bu dào nǚ huà jiā shì tā tā de
了 ，好 像 找 不 到 女 画 家 是 它 他 的

cuò xiǎo kòu zi xiǎng nǚ huà jiā huì bu huì dào cūn
错 。小 扣 子 想 ，女 画 家 会 不 会 到 村

zi wài miàn qù huà huà yú shì xiǎo kòu zi hé huáng
子 外 面 去 画 画 ？于 是 小 扣 子 和 黄

gǒu jiù dào cūn zi wài miàn qù zhǎo nǚ huà jiā le
狗 就 到 村 子 外 面 去 找 女 画 家 了 。

1 茫然: at a loss
e.g. 他不知道为什么
会发生这样的事，对
此他感到很茫然。

tā men zǒu dào cūn wài　　rán hòu dēng shàng gāo gāo
他们走到村外，然后登上高高

de hé dī　　xiǎo kòu zi wàng zhe zhōu wéi　xún zhǎo
的河堤[1]。小扣子望着周围，寻找

nǚ huà jiā　　huáng gǒu hǎo xiàng yě zài wàng zhe yuǎn
女画家。黄狗好像也在望着远

chù　xún zhǎo nǚ huà jiā　tā de bí zi xīng fèn de xiù
处，寻找女画家，它的鼻子兴奋地嗅

lái xiù qù　　tài yáng yǐ jīng chū lái le　zǎo chen de
来嗅去[2]。太阳已经出来了，早晨的

yáng guāng ràng xiǎo kòu zi xiǎng qǐ nǚ huà jiā bǐ
阳光让小扣子想起女画家笔

xià de jīn huáng sè　xiǎo kòu zi méi kàn dào nǚ huà
下的金黄色。小扣子没看到女画

jiā　tā tū rán xiǎng dào　nán dào nǚ huà jiā zǒu le
家。他突然想到，难道女画家走了

ma　xiǎng dào zhè li　tā yǒu xiē zháo jí　fēi bēn zhe
吗？想到这里，他有些着急，飞奔着

pǎo xià hé dī　xiàng nǚ huà jiā zhù de fáng dōng jiā
跑下河堤，向女画家住的房东家

pǎo qù　huáng gǒu yí xià zi pǎo dào xiǎo zhǔ rén qián
跑去。黄狗一下子跑到小主人前

miàn　pǎo de hěn yuǎn　huáng gǒu pǎo de zhè yàng
面，跑得很远。黄狗跑得这样

kuài　shì hū shì xiǎng ràng xiǎo zhǔ rén gèng xǐ huan
快，似乎是想让小主人更喜欢

tā　kě shì qián miàn shén me yě méi yǒu　dà huáng
它。可是前面什么也没有，大黄

gǒu jiù tíng xià lái děng zhe xiǎo zhǔ rén　xiǎo kòu zi
狗就停下来等着小主人。小扣子

1 河堤: riverbank

2 嗅来嗅去: sniff about

pǎo de shēn shang　tóu shang dōu chū hàn le
跑 得 身 上 、头 上 都 出 汗 了。

nǚ huà jiā zhù de nà jiā fáng dōng zuì chū shì zū
女 画 家 住 的 那 家 房 东 最 初 是 租

zhù　nǚ huà jiā gēn jù zhù de tiān shù jiāo fáng zū
住，女 画 家 根 据 住 的 天 数 交 房 租。

fáng dōng de nǚ ér jié hūn le　chū qù zhù le　jiā li
房 东 的 女 儿 结 婚 了，出 去 住 了，家 里

zhèng hǎo kōng zhe yì jiān fáng zi　nǚ huà jiā jiù zhù
正 好 空 着 一 间 房 子，女 画 家 就 住

zài nà jiān fáng zi li　kě shì nǚ huà jiā zhù le jǐ tiān
在 那 间 房 子 里。可 是 女 画 家 住 了 几 天

zhī hòu　fáng dōng jiù bǎ nǚ huà jiā dāng nǚ ér le
之 后，房 东 就 把 女 画 家 当 女 儿 了，

bù shōu nǚ huà jiā fáng qián　fáng dōng shuō　nǚ ér
不 收 女 画 家 房 钱。房 东 说，女 儿

zhù niáng jiā　nǎ néng shōu fáng qián ne
住 娘 家[1]，哪 能 收 房 钱 呢!

xiǎo kòu zi pǎo jìn fáng dōng jiā de yuàn zi li
小 扣 子 跑 进 房 东 家 的 院 子 里，

yì yǎn jiù bǎ nǚ huà jiā kàn dào le　nǚ huà jiā hái
一 眼 就 把 女 画 家 看 到 了。女 画 家 还

méi lí kāi tā men de cūn zi　zhè xià xiǎo kòu zi jiù
没 离 开 他 们 的 村 子，这 下 小 扣 子 就

fàng xīn le　nǚ huà jiā zhèng zài zuò huà　tā jīn tiān
放 心 了。女 画 家 正 在 作 画，她 今 天

huà de shì fáng dōng jiā de zǔ fù　nǚ huà jiā shēn
画 的 是 房 东 家 的 祖 父[2]。女 画 家 身

hòu zhàn le bù shǎo rén　yǒu lǎo rén de ér zi　ér xí
后 站 了 不 少 人，有 老 人 的 儿 子、儿 媳

1 娘家: married woman's parents' home

2 祖父: grandfather

妇、孙子、孙子媳妇 等，他们 都 在 看 女
画 家 作 画 。他们 都 不 说 话，静 静 地
站 立 着，连 出 气 都 很 轻 。他 们 怕 一 不
小 心 弄 出 什 么 声 音 来 。女 画 家 当
然 也 不 说 话，她 眼 里 似 乎 只 有 老 人 和
她 的 画 。她 看 看 老 人，在 画 面 上 画
几 笔，再 看 看，再 画 几 笔 。人 们 能 听
见 画 笔 在 画 纸 上 画 画 的 声 音 。

　　老 人 在 墙 根 儿 [1] 蹲 着 晒 太 阳 。
老 人 七 八 十 岁 了，身 体 不 错，习 惯 蹲
着 晒 太 阳，在 一 个 地 方 可 以 蹲 半
天 。这 正 好 给 女 画 家 提 供 了 作 画
的 机 会 。老 人 身 后 的 背 景 很 简 单，
下 面 是 几 层 砖，上 面 挂 着 一
串 干 豆 角 [2] 。老 人 上 身 穿 着 一

1 墙根儿: lower part of a wall that is close to the ground

2 干豆角: dried kidney beans

件黑布夹袄¹，头 上 戴着一顶²黑帽
子。阳 光 斜 照 下 来，在老人 帽 子
下面留下一点阴影。老人脸 上 的
主要特点是 皱 纹³ 多 ， 多 得 数 都 数
不清 ， 连 老 人 的 耳 朵 上 都 是 皱
纹 。老人脖子里的 皱 纹 也 很 多 。皱
纹 把 老 人 的 脖 子 分 割 成 许 多 像 田
地 一 样 的 小 方 块 。所 有 的 皱纹
都 固 定 住 了 ，都 很 深 。老人 的 神
情⁴十 分 平 静 、安 详⁵。他似乎没有
感 觉 到 女 画 家 为 他 作 画 ，并 且 还 有
那 么 多 人 看 着 他 。

　　老人 的 儿媳提出为 公 公⁶ 换
上 一 件 新 衣 服，女画家说不用。儿
媳 又 提 出 让 公 公 坐 在 椅 子 上 ，女

---

1 黑布夹袄: lined Chinese-style jacket

2 顶:　(classifier) for a cap or a hat
e.g. 一顶帽子

3 皱纹: wrinkles

4 神情: look; expression
e.g. 他脸上露出了愉快的神情。

5 安详: sedateness

6 公公: married woman's father-in-law

画家仍然说不用。人们都注意到了，女画家画的不是老人的全身像，也不是半身像，女画家只画了老人的头像。这样的画，任何服装、椅子都用不上。

小扣子一看见女画家画的老人的头像，心上就震[1]了一下，眼睛就不愿意离开画面了。这张画像比真人大得多，小扣子长这么大，还从没见过这么大幅的画像。老人的面容[2]画得很黑，皱纹更黑。但仔细看上去，老人的面容里透着温暖的古铜色[3]。女画家画的老人的眼睛更让小扣子感到亲切。老人的眼睛很平和，

1 震: shock

2 面容: face

3 古铜色: bronze-colored

gēn yuè guāng xià de hú shuǐ yí yàng
跟 月 光 下 的 湖 水 一 样 。

kàn zhe zhè fú lǎo rén de tóu xiàng   xiǎo kòu zi
看 着 这 幅 老 人 的 头 像 ，小 扣 子

bù yóu de   xiǎng qǐ le zì jǐ de zǔ fù   zǔ fù duì
不 由 得¹ 想 起 了 自 己 的 祖 父 。祖 父 对

xiǎo kòu zi hěn hǎo   zhǐ yào shì xiǎo kòu zi yì huí
小 扣 子 很 好 ，只 要 是 小 扣 子 一 回

jiā   zǔ fù jiù yì zhí kàn zhe tā   bù guǎn tā gàn shén
家 ，祖 父 就 一 直 看 着 他 ，不 管 他 干 什

me   zǔ fù dōu yuàn yì kàn   yǒu shí zǔ fù hǎn tā
么 ，祖 父 都 愿 意 看 。有 时 祖 父 喊 他

guò qù   tā guò qù hòu   zǔ fù yì diǎn shì yě méi
过 去 ，他 过 去 后 ，祖 父 一 点 事 也 没

yǒu   yí jù huà yě bù shuō   zhǐ lā zhù tā de shǒu jiù
有 ，一 句 话 也 不 说 ，只 拉 住 他 的 手 就

wán le   xiǎo kòu zi bú yuàn yì jiē jìn zǔ fù   tā
完 了 。小 扣 子 不 愿 意 接 近 祖 父 ，他

xián   zǔ fù liǎn shang de zhòu wén tài duō le   tā
嫌² 祖 父 脸 上 的 皱 纹 太 多 了 。他

yòng shǒu shǐ jìn wǎng liǎng biān bā   zhe zǔ fù de
用 手 使 劲 往 两 边 扒³ 着 祖 父 的

zhòu wén   xiǎng bǎ zǔ fù liǎn shang de zhòu wén
皱 纹 ，想 把 祖 父 脸 上 的 皱 纹

nòng píng   zǔ fù cóng lái bù fǎn duì xiǎo kòu zi   lā
弄 平 。祖 父 从 来 不 反 对 小 扣 子 拉

tā liǎn shang de zhòu wén   yǒu shí hou xiǎo kòu zi yǐ
他 脸 上 的 皱 纹 。有 时 候 小 扣 子 以

wéi tā bǎ zǔ fù nòng téng le   zǔ fù bú dàn bù shuō
为 他 把 祖 父 弄 疼 了 ，祖 父 不 但 不 说

1 **不由得**: can not help
e.g. 看着这张照片，
他不由得想起了以前
的大学生活。

2 **嫌**: dislike; complain
of
e.g. 他嫌宿舍里太
闹，就去图书馆了。

3 **扒**: hold to

téng hái gǔ lì tā shǐ jìn lā xiàn zài zǔ fù bú zài
疼，还鼓励他使劲拉。现 在 祖 父 不 在

le qù nián qiū tiān xiǎo kòu zi zǎo shang hái méi
了。去年秋天，小 扣 子 早 上 还 没

shuì xǐng jiù tīng jiàn mǔ qin kū tā jiù zhī dào zǔ fù
睡 醒 就 听 见 母 亲 哭，他 就 知 道 祖 父

yǐ jīng sǐ le zǔ fù méi yǒu zhào guò xiàng yě méi
已 经 死 了。祖父没有 照 过 相，也没

huà guò xiàng tā yǐ wéi yǒng yuǎn yě kàn bu dào zì
画 过 像，他以为 永 远 也看不到自

jǐ de zǔ fù le nǚ huà jiā huà de tóu xiàng shǐ tā yòu
己的祖父了。女画家画的头 像 使他又

kàn dào le zì jǐ de zǔ fù zǔ fù zhèng cí ài de
看 到 了 自 己 的 祖 父。祖 父 正 慈 爱[1]地

kàn zhe tā tā yě zài kàn zhe zǔ fù kàn zhe kàn
看 着 他，他 也 在 看 着 祖 父。看 着 看

zhe xiǎo kòu zi de yǎn jing yǒu xiē shī le tā chà
着，小 扣 子 的 眼 睛 有 些 湿 了，他 差

diǎn duì zhe huà xiàng hǎn yì shēng yé ye
点 对 着 画 像 喊 一 声 "爷爷"。

rén men kàn le nǚ huà jiā gěi lǎo rén de huà
人 们 看 了 女画家给老人的画

xiàng lǎo rén liǎn shang de zhòu wén biàn chéng le
像。老人脸 上 的 皱 纹 变 成 了

mǎn liǎn de huà yì rén men duì lǎo rén chōng mǎn
满 脸 的 画 意[2]。人 们 对 老 人 充 满

le xiàn mù de mù guāng rén men yǐ wéi fáng dōng
了 羡 慕[3]的 目 光。人 们 以 为 房 东

jiā de rén huì bǎ lǎo rén de huà xiàng gāo gāo de guà
家 的 人 会 把 老 人 的 画 像 高 高 地 挂

1 慈爱: kindliness

2 画意: sentiment of picture

3 羡慕: admire

起来，后来才知道女画家已把画 像
收起来了，准备带走，带到 城 里再
挂起来。女画家另 外 给 房 东家的儿
媳画了一朵 红 莲 花¹。房 东 的 儿 媳
把 红 莲 花 绣²在 门 帘³上 ，村 子 里
的 姑 娘 们 都 跟 着 绣 起 了 红 莲 花。
红 莲 花 很 快 传 开 了，村 子里 很
快 就"开"遍 了 红 莲 花。

　　女 画 家 开 始 到 野 地 里 作 画 去 了。
她 背 着 画 夹 子、提 着 画 箱 刚 出 村，
小 扣 子 就 看 见 了。女 画 家 在 前 面
走，小 扣 子 和 黄 狗 远 远 地 在 后
面 跟 着。女 画 家 走 多 远，他 们 也
走 多 远。女 画 家 登 上 河 堤，他 们
也 登 上 河 堤。不 过 他 们 离 女 画 家 不

1 红莲花: red lotus
flower

2 绣: embroider

3 门帘: door curtain

shì hěn jìn　　ér shì bǎo chí zhe yí dìng jù　lí　　nǚ huà
是 很 近，而 是 保 持 着 一 定 距 离。女 画

jiā zhōng yú xuǎn hǎo le　yí chù fēng jǐng　　bǎi kāi huà
家 终 于 选 好 了 一 处 风 景，摆 开 画

jiā zi kāi shǐ zuò huà le　　xiǎo kòu zi méi yǒu mǎ
夹 子 开 始 作 画 了。小 扣 子 没 有 马

shàng zǒu guò qù　　qù yě dì　li　kàn nǚ huà jiā zuò huà
上 走 过 去。去 野 地 里 看 女 画 家 作 画

de rén hěn shǎo　　xiǎo kòu zi　yí ge rén bù gǎn zǒu guò
的 人 很 少，小 扣 子 一 个 人 不 敢 走 过

qù　　tā pà nǚ huà jiā gēn tā shuō huà　　bù guǎn nǚ
去，他 怕 女 画 家 跟 他 说 话。不 管 女

huà jiā gēn tā shuō shén me huà　　tā dōu huì hěn
画 家 跟 他 说 什 么 话，他 都 会 很

huāng luàn　　　hòu lái yòu lái le sān sì ge nán hái zi
慌 乱[1]。后 来 又 来 了 三 四 个 男 孩 子

hé nǚ hái zi　　tā men cái màn màn dì xiàng nǚ huà jiā
和 女 孩 子，他 们 才 慢 慢 地 向 女 画 家

zǒu qù
走 去。

nǚ huà jiā zhè tiān huà de shì　yí piàn máo cǎo
女 画 家 这 天 画 的 是 一 片 茅 草[2]。

máo cǎo de yè zi huáng le　　zhǐ yǒu suì zi　shì yín bái
茅 草 的 叶 子 黄 了，只 有 穗 子[3]是 银 白

de　　měi yì gēn máo cǎo de suì zi dān dú kàn qǐ lái méi
的。每 一 根 茅 草 的 穗 子 单 独 看 起 来 没

shén me tè bié　　dàn shì bǎ xǔ duō suì zi lián qǐ lái kàn
什 么 特 别，但 是 把 许 多 穗 子 连 起 来 看，

jiù shì　yí piàn bái　jiù yǒu le xiē qì shì　　tián yě li yǒu
就 是 一 片 白，就 有 了 些 气 势[4]。田 野 里 有

1 慌乱: fluster

2 茅草: couch grass

3 穗子: fruiting spike of grass plants

4 气势: vigor

fēng fēng dà de shí hou máo cǎo suì zi bèi fēng chuī
风 ，风 大 的 时 候， 茅 草 穗 子 被 风 吹

wān le tiē xiàng dì miàn fēng yí guò qù suì zi
弯 了， 贴 向 地 面 。风 一 过 去， 穗 子

yòu xùn sù zhí qǐ lái chéng le yí piàn qǐ fú bú dìng
又 迅 速 直 起 来， 成 了 一 片 起 伏 不 定

de máo cǎo suì zi máo cǎo suì zi bǎ qiū tiān de yáng
的 茅 草 穗 子。茅 草 穗 子 把 秋 天 的 阳

guāng xī jìn qù yòu fǎn shè chū lái yuǎn kàn jìn
光 吸 进 去， 又 反 射¹ 出 来， 远 看 、近

kàn dōu bái huā huā de ràng rén gǎn jiào hǎo xiàng
看 都 白 花 花 的， 让 人 感 觉 好 像

zǒu jìn le yuè guāng yí yàng de mèng jìng máo cǎo
走 进 了 月 光 一 样 的 梦 境 。茅 草

zhǎng zài yí piàn huāng dì shang miàn jī bìng bú
长 在 一 片 荒 地² 上 ， 面 积 并 不

dà kě ràng nǚ huà jiā yí huà miàn jī jiù dà le
大 。可 让 女 画 家 一 画， 面 积 就 大 了，

bái máng máng de yí piàn hǎo xiàng wàng bu dào
白 茫 茫 的 一 片 ， 好 像 望 不 到

biān zài xiǎo kòu zi yǎn li nǚ huà jiā de huà ràng
边 。在 小 扣 子 眼 里，女 画 家 的 画 让

rén yí kàn jiù bù zhī bù jué de zǒu jìn qù le
人 一 看 就 不 知 不 觉³ 地 走 进 去 了。

xiǎo kòu zi kàn jiàn tā jiā de huáng gǒu tū rán
　　小 扣 子 看 见， 他 家 的 黄 狗 突 然

pǎo dào máo cǎo li qù le zài nà li dōng kàn xī
跑 到 茅 草 里 去 了， 在 那 里 东 看 西

kàn bù dǒng shì de jiā huo zhè yàng huì yǐng xiǎng
看 。不 懂 事 的 家 伙， 这 样 会 影 响

1 反射: reflect

2 荒地: wasteland

3 不知不觉: uncon-
sciously

e.g. 这本书太好看
了，他不知不觉地就
看完了。

rén jia huà huà de
人家画画的。小扣子刚要把黄

gǒu gǎn kāi nǚ huà jiā shuō bú yào guǎn tā jié
狗赶开,女画家说,不要管它。结

guǒ nǚ huà jiā bǎ huáng gǒu yě huà jìn huà li qù le
果女画家把黄狗也画进画里去了。

xiǎo kòu zi xīn li fēi cháng gāo xìng nǚ huà jiā zǒng
小扣子心里非常高兴,女画家总

suàn huà le tā jiā de yí yàng dōng xi tā zǒng suàn
算画了他家的一样东西,他总算

wèi nǚ huà jiā zuò chū le yì diǎn gòng xiàn huà
为女画家作出了一点贡献。画

shang de huáng gǒu zhèng zài lì zhe ěr duo tīng fēng
上的黄狗正在立着耳朵听风,

xiǎn de hěn chéng shóu huáng gǒu de yàng zi zhēn
显得很成熟[1]。黄狗的样子真

kě ài xiǎo kòu zi zhēn xiǎng mǎ shàng bào zhù
可爱,小扣子真想马上抱住

huáng gǒu qīn yì qīn tā
黄狗亲一亲它。

nǚ huà jiā huà wán le huà wèn zhè shì shéi
女画家画完了画,问:"这是谁

jiā de gǒu
家的狗?"

xiǎo kòu zi hái méi shuō huà jǐ ge hái zi jiù
小扣子还没说话,几个孩子就

wǎng qián tuī tā shuō shì xiǎo kòu zi jiā de gǒu
往前推他,说是小扣子家的狗。

nǚ huà jiā duì xiǎo kòu zi shuō nǐ men jiā de
女画家对小扣子说:"你们家的

1 成熟: mature

<ruby>狗 bú cuò ya</ruby>
狗 不 错 呀 ！"

小 扣子 不 知道 说 什么 好 。小
扣子 的 脸 有些 红 。

女画家 问 ："你们 这 儿 种 荞
麦 ¹ 吗 ？"

别的 孩子 你 看 我 ，我 看 你 ，回答 不
上 来 。这 时候 小 扣子 不 说 话 不 行
了 。小 扣子 说 ："种 。"既然 只有 小
扣子 能 回答 这 个 问题 ，女画家 就 只
看 着 小 扣子 。女画家 的 眼睛 可 真
亮 啊 ，小 扣子 看 了 女画家 一 眼 就 不
敢 看 了 。女画家 很 年轻 ，除 了 眼睛
很 亮 ，她 的 头发 也 很 亮 ，牙 也 很
亮 ，嘴唇 也 很 亮 ，照 得 小 扣子 不
敢 抬 头 。可是 女画家 对 小 扣子 说 ：

1 荞麦: buckwheat

"来，抬起头来看着我，我看你很害羞[1]啊！"

小扣子在肚子里鼓了鼓勇气，把头抬起来了。只有女孩子才害羞，他是个男孩子，不能害羞。可是不行，他刚把头抬起来，又低下去了。这时正好他家的黄狗过来了，黄狗过来靠在他腿上。他蹲下身子，抱住了黄狗的脖子，用手抚摸[2]着。他发现，黄狗的眼睛好像也不敢看女画家。

女画家的问题还很多，她问小扣子，荞麦是不是绿叶、白花？荞麦花开起来是不是像下雪一样？女画家问什么，小扣子都说是。有一个

1 害羞: shy

2 抚摸: stroke

问题小扣子回答不出来——荞麦
在什么时候种。女画家提了这个
问题，他就得回答，不能让女画家失
望。他先说春天种，又说不
对，夏天种。他这样一会儿春天
种一会儿夏天种的，别的孩子都
笑了。女画家看了看小扣子，说没
关系，不管什么时候种，只要
种就行。

　女画家的画箱也很别致[1]。她把
画箱折一折，画箱就变成了
一只凳子。她就坐在凳子上画
画。画完了画，她把凳子再折一
折，凳子又变成了箱子。小扣
子觉得女画家的箱子真有意思，他

1 别致: exquisite

很 想 替 女 画 家 背 一 背 画 箱 子。女
画 家 好 像 看 出 了 小 扣 子 的 意 思，
她 说："谁 替 我 背 着 画 箱 子，我 给
谁 一 块 糖。"

听 女 画 家 这 么 一 说，孩 子 们 一 下
子 都 抢 过 去 了，抓 住 画 箱 子 的 背
带，抢 来 抢 去。看 来 想 背 画 箱 子
的 不 是 只 有 小 扣 子 一 个 人。

女 画 家 说："不 要 争，不 要 争，
我 来 看 看 让 谁 背。"在 决 定 让 谁 背
之 前，她 把 糖 掏 出 来 了，分 给 每 人 一
块。当 女 画 家 分 给 小 扣 子 时，小 扣
子 说 他 不 要 糖。小 扣 子 的 意 思 是，他
不 是 为 了 糖 才 背 画 箱 的，他 跟 别 人
不 一 样。女 画 家 把 每 个 孩 子 都 看

了一遍，最后对小扣子说："我
看你挺有意思的。好吧，箱子由
你来背。不过，糖还是要吃的。"她拉
过小扣子的手，一拍，把糖拍进小
扣子的手里去了。小扣子一握，感
到手里的糖不是一块，是两块，他
的心跳起来。为了不让别的孩子看
出来女画家多给了他一块糖，他把
两块糖紧紧地握在手里，一点儿
也不敢松开。他好像觉得两块
糖在手心里跳动。小扣子把画
箱背起来，大步走到前面去了。小
扣子听见女画家在后面问他的那
些小伙伴[1]："糖甜吗？"小伙伴
们答："甜！"

1 伙伴: buddy

wǎn shang　xiǎo kòu zi ràng mǔ qin qù gěi nǚ
晚　上，小 扣 子 让 母 亲 去 给 女
huà jiā sòng jī dàn　mǔ qin wèn　　nǐ zhè hái zi　nǐ
画 家 送 鸡 蛋。母 亲 问："你 这 孩 子，你
shì bu shì yào rén jia dāng nǐ de lǎo shī　gēn rén jia xué
是 不 是 要 人 家 当 你 的 老 师，跟 人 家 学
huà huà ya
画 画 呀?"

xiǎo kòu zi shuō　　nǚ huà jiā bǎ wǒ men jiā de
小 扣 子 说："女 画 家 把 我 们 家 的
huáng gǒu huà zài huà shang le
黄 狗 画 在 画 上 了。"

yú shì mǔ qin bāo shàng yì xiē jī dàn　dài shàng
于 是 母 亲 包 上 一 些 鸡 蛋，带 上
xiǎo kòu zi hé huáng gǒu　gěi nǚ huà jiā sòng qù le
小 扣 子 和 黄 狗，给 女 画 家 送 去 了。

nǚ huà jiā zuò zài fáng dōng jiā yuàn zi li
女 画 家 坐 在 房 东 家 院 子 里，
zhèng gēn fáng dōng yì jiā rén liáo tiān　hǎo xiàng zài
正 跟 房 东 一 家 人 聊 天，好 像 在
shuō qiáo mài huā　nǚ huà jiā bù zhī dào xiǎo kòu zi
说 荞 麦 花。女 画 家 不 知 道 小 扣 子
de mǔ qin wèi shén me gěi tā sòng jī dàn　mǔ qin bǎ
的 母 亲 为 什 么 给 她 送 鸡 蛋。母 亲 把
xiǎo kòu zi tuī dào qián miàn　shuō　　nǐ bǎ wǒ men
小 扣 子 推 到 前 面，说："你 把 我 们
jiā de gǒu huà dào huà shang qù le　wǒ ér zi ràng
家 的 狗 画 到 画 上 去 了，我 儿 子 让
wǒ lái gǎn xiè nǐ　　nǚ huà jiā xiào le　shuō huà le
我 来 感 谢 你。"女 画 家 笑 了，说 画 了

rén jia de gǒu　bú dàn bù gěi rén jia qián　hái yào bái
人家 的 狗，不但 不给 人家 钱，还要 白

chī rén jia de jī dàn　zhè yàng de pián yi shàng nǎr
吃 人家 的 鸡 蛋，这 样 的 便 宜 上 哪儿

qù zhǎo a　nǚ huà jiā bǎ jī dàn shōu xià　tā hái
去 找 啊！女 画家 把 鸡 蛋 收 下。她 还

shuō le yí ge xiào huà　tā shuō　zhè xiē jī dàn tā
说 了 一个 笑 话。她 说，这 些 鸡 蛋 她

xiān bù chī　yí ge yí ge huà zài huà shang　zhè yàng
先 不吃，一个 一个 画 在 画 上，这 样

xiǎo kòu zi jiā de rén hái huì gěi tā sòng jī dàn　sòng
小 扣子 家 的 人 还 会 给 她 送 鸡 蛋，送

dào hòu lái　tā jiù bú huà huà le　chéng le mài jī
到 后 来，她 就 不 画 画 了，成 了 卖 鸡

dàn de le
蛋 的 了。

nǚ huà jiā de xiào huà bǎ yuàn zi li de rén dōu
　女 画家 的 笑 话 把 院 子 里 的 人 都

shuō xiào le
说 笑 了。

wǎn shang de yuè liang hěn liàng　mǔ qin hé xiǎo
　晚 上 的 月 亮 很 亮。母 亲 和 小

kòu zi méi yǒu mǎ shàng huí jiā　tīng nǚ huà jiā yòu
扣子 没 有 马 上 回 家，听 女 画家 又

shuō dào le qiáo mài huā　nǚ huà jiā shuō　tā xiǎo
说 到 了 荞 麦 花。女 画家 说，她 小

shí hou　gēn zhe fù mǔ zài nóng cūn zhù guò yí duàn
时 候，跟 着 父 母 在 农 村 住 过 一段

shí jiān　hǎo xiàng kàn jiàn guò qiáo mài huā　qiáo
时 间，好 像 看 见 过 荞 麦 花。荞

麦地在村子西边,一大块地种的都是荞麦。在她印象[1]里,荞麦花似乎一夜之间全都开了。她早上起来,觉得西边的天怎么那么明亮呢,跑到村边往地里一看,啊,原来是荞麦花开了,遍地的白花把半边天都映得明晃晃[2]的。她天天去看荞麦花,吃饭时父母都找不着她。荞麦花的花不大,跟雪花差不多,但荞麦花又多又密,就成了一片,看一眼就把人震住了。

在没有看到荞麦花之前,她喜欢看那些一朵两朵的花,老是为那些孤独[3]的花所感动。看到了大面积白茫茫的荞麦花,她感到非常

1 印象: impression

2 明晃晃: shining

3 孤独: lonely

激动和震撼[1]。她当时很想歌
唱，可惜她那时不会唱什么歌，只
能钻进荞麦花地里，一待就是半
天。她晚间也去看过荞麦花。夜
晚很黑，没有月亮。不过，她一点
也不害怕，因为满地的白花很远就
能看见。她看着前面的光明，
不由得就走进了花地里。

　　说到这里，女画家轻轻地笑
了。她说，有些事情已经记不清了，
自己都不知道说得对不对。也许她
说的是自己的梦，跟真的荞麦花
弄混了。那样的荞麦花是很难
看到的。

　　院子里的人都没有说话，只有

1 震撼: stirring

yuè guāng jìng jìng de sǎ luò
月 光 静 静 地 洒 落 ¹。

xiǎo kòu zi hé mǔ qin bǎ nǔ huà jiā de huà dōu jì
小 扣 子 和 母 亲 把 女 画 家 的 话 都 记

zhù le
住 了。

dì èr nián zài xiǎo kòu zi de yāo qiú xià mǔ qin
第 二 年，在 小 扣 子 的 要 求 下，母 亲

zài yí kuài dì li zhǒng le qiáo mài xiǎo kòu zi kàn
在 一 块 地 里 种 了 荞 麦。小 扣 子 看

jiàn qiáo mài fā yá le qiáo mài zhǎng yè le qiáo
见 荞 麦 发 芽 了，荞 麦 长 叶 了，荞

mài jié huā gū duo le qiáo mài zhōng yú kāi huā
麦 结 花 骨 朵 ² 了……荞 麦 终 于 开 花

le qiáo mài huā kāi de gēn nǔ huà jiā de huí yì yí
了！荞 麦 花 开 得 跟 女 画 家 的 回 忆 一

yàng rú tóng xiān jìng bǎ xiǎo kòu zi gǎn dòng de
样 如 同 仙 境 ³，把 小 扣 子 感 动 得

dōu kuài yào kū le
都 快 要 哭 了。

cóng qiáo mài kāi huā nà yí kè qǐ xiǎo kòu zi
从 荞 麦 开 花 那 一 刻 起，小 扣 子

tiān tiān zài huā dì li xiàng zhe yuǎn fāng zhāng
天 天 在 花 地 里，向 着 远 方 张

wàng mǔ qin zhī dào xiǎo kòu zi pàn wàng shén
望。母 亲 知 道 小 扣 子 盼 望 什

me tā yě gēn zhe xiǎo kòu zi xiàng yuǎn fāng
么，她 也 跟 着 小 扣 子 向 远 方

zhāng wàng
张 望。

1 洒落: sprinkle

2 花骨朵: bud

3 仙境: fairyland

This story is an abridged version of Liu Qingbang's short story 遍地白花, *selected from* 2001 年中国小说排行榜·短中篇小说卷, *which is published by Shidai Wenyi Publishing House* (时代文艺出版社), 2002.

About the Author Liu Qingbang (刘庆邦):

Liu Qingbang is one of China's noteworthy contemporary writers. He is a member of China Writers Association and vice-chairman of Beijing Writers Association. He was born in the countryside in Shenqiu, Henan Province. At different times, he worked as a peasant, a miner and a reporter. Some of his works show his affection for his home village. He pays close attention to the destiny of ordinary people, especially those at the bottom of the social hierarchy, revealing in some of his works the miserable life of peasant miners. He has talent for short stories and 红围巾 is representative of his short stories. He has published some novels including 红煤, and some novellas. He has won many literary prizes. His short story 鞋 won the second Lu Xun Literature Prize (鲁迅文学奖). His novel 神木 has been adapted into a film 盲井 directed by Li Yang (李杨) which won the 53rd Art Contribution Silver Bear Prize at the Berlin International Film Festival. Some of his works have been translated into English, French, German, Italian, Russian and Japanese.

思考题：

1. 女画家是什么时候到村子里来画画的？

2. 女画家都画了什么？女画家为什么喜欢画古老的东西？

3. 女画家画了一位农村老汉的头像，她画得怎么样？小扣子想起了谁？

4. 女画家是怎样发现"美"的？又是怎样把"美"画出来的？

5. 女画家的画给村子里的人们带来了什么变化？村子里的人对女画家怎么样？请举例说明。

6. "遍地白花"指的是什么花？为什么女画家喜欢遍地白花？

五、校园三曲

wǔ　　xiàoyuánsān qǔ

yuánzhù　xièjìngyuǎn
原 著：谢 竞 远

五　校园三曲

Guide to reading:

In the universities of China, views of campus life are varied. To some university students, life is romantic. But this is not always the case. There are some students who come from the countryside. They live a life that is different in almost all respects from that of students who come from cities. Despite these differences, they share an instinctive love of life mixed with other sentiments. Story One describes the life of the student Lao Liu (老六), who comes from the countryside. Going to university is a heavy burden for his family. Lao Liu loves his family and he willingly bears the pressure of studying at university. Story Two is a story of an election of "excellent students". Kang Kai (康凯), a student from the countryside, takes part in the election. Kang Kai is a top student, but fails in the election. Story Three tells of Xiao Feng (萧风), another student who comes from an ordinary family. He enjoys his campus life, but of course he still has the pressure of his studies. At the end of the term, he fails his English exam and as a result he has to repeat the exam the following term. All three stories show the students' practical considerations of their lives, their happiness and their frustrations, as well as their ideals for the future.

故事正文：

yī lǎo liù
1. 老六[1]

wǒ hé lǎo liù shì dà xué tóng xué wǒ hé lǎo liù
我 和 老六 是 大 学 同 学。我 和 老六
dì yī cì jiàn miàn shì gāng dào dà xué bào dào de nà
第一 次 见 面，是 刚 到 大 学 报 到 的 那
tiān wǒ bēi zhe xíng li cóng xué xiào de xiào chē
天。我 背着 行 李，从 学 校 的 校 车
shang xià lái yì yǎn jiù qiáo jiàn le dūn zài bào dào
上 下 来，一眼 就 瞧 见 了 蹲 在 报 到
chù mén qián de lǎo liù yí kàn jiàn tā wǒ jiù jué
处[2] 门 前 的 老六。一 看 见 他，我 就 觉
de tā tè bié qīn lǎo liù de shēn biān fàng zhe ge dà
得 他 特 别 亲[3]。老六 的 身 边 放 着 个 大
bāo sù liào dài pò le fēng yì chuī huā lā lā de
包，塑料 袋[4] 破 了，风 一 吹，哗 啦 啦 地
xiǎng lǎo liù dūn de yàng zi gēn nóng cūn shài tài
响。老六 蹲 的 样 子，跟 农 村 晒 太
yáng de lǎo tóur yì mó yí yàng pì gu tiē zhe
阳 的 老 头 儿 一模 一 样[5]，屁 股[6] 贴 着
dì xià ba fàng zài xī gài shang
地，下 巴[7] 放 在 膝 盖[8] 上。
wǒ pāi pai tā de jiān dūn xià lái wèn bào
我 拍 拍 他 的 肩，蹲 下 来 问：" 报
dào de lǎo liù tái qǐ tóu wǒ yí kàn yí dìng shì
到 的？" 老六 抬 起 头，我 一 看，一 定 是
nóng mín de ér zi hēi hēi de liǎn xiǎo yǎn jing
农 民 的 儿 子，黑 黑 的 脸，小 眼 睛，

1 老六: 老 as prefix of a person's name to indicate seniority
e.g. 老王, Old Wang; 老三, the Third Child

2 报到处: registration place

3 亲: intimate
e.g. 他跟他妈妈特别亲。
e.g. 她们姐妹俩可亲了。

4 塑料袋: plastic bag

5 一模一样: as like as two peas
e.g. 这两本书一模一样。

6 屁股: buttocks

7 下巴: chin

8 膝盖: knee

huáng tóu fa   yì zuǐ huáng yá   lǎo liù zhǎ zha yǎn
黄 头发，一嘴 黄 牙。老六 眨眨 [1] 眼
jing   wèn   yǒu shìr
睛，问："有 事儿？"

wǒ xiào dào   méi shìr   wǒ yě shì bào dào
我 笑 道："没 事儿，我 也是 报 到
de wǒ shì dì lǐ xì de
的，我 是 地理系 的。"

lǎo liù xiào le   zhàn qǐ lái   qīn rè de shuō
老六 笑 了，站 起来，亲热地 说：
wǒ yě shì dì lǐ xì de   wǒ jiào niú lǎo liù   wǒ
"我 也是 地理[2]系 的。我 叫 牛老六，我
jiā zhù qǐ dōng shì   qǐ dōng xiàn   dà wǎn xiāng
家 住 启东市 、启 东 县、大 宛 乡、
xiǎo fáng shēn cūn   nǐ ne
小 房 申 村。[3] 你 呢？"

wǒ shuō   wǒ yě shì cóng nóng cūn lái de
我 说："我 也是 从 农 村 来 的。"

lǎo liù wèn   méi rén lái sòng nǐ
老六 问："没 人 来 送 你？"

wǒ shuō   sòng bu qǐ
我 说："送 不 起[4]。"

lǎo liù yǎn jing yí liàng   zhuā zhù wǒ de shǒu
老六 眼 睛 一 亮，抓 住 我 的 手，
shuō   yí yàng   yí yàng   wǒ yě méi rén sòng
说："一 样，一 样。我 也 没人 送 。"

lǎo liù sì chù kàn kan   jiàn méi yǒu rén zhù yì wǒ
老六 四 处 看 看，见 没 有 人 注意 我
men   dī shēng shuō   zài jiā shí   wǒ mā shuō   gēn
们，低 声 说："在 家 时，我 妈 说，跟

1 眨眨眼睛: wink

2 地理: geography

3 启东市...: Lao Liu's home address. When Chinese address is written or spoken, it is from the large place to the small place. Here the address is from the city to the village.

4 送不起: It is expensive for their parents to accompany them to the universities, so they come to the university alone.

1 打交道: have dealings with; contact with
e.g. 我认识他，但是很少跟他打交道。

2 心眼儿: cleverness
e.g. 他很有心眼儿，办事很灵活。

3 上当: be fooled
e.g. 小心点儿，别上他的当。

4 排: to list according to the time of the birthdays of the eight roommates. In order to show the intimate feelings, the roommates will call each other 老大, 老二, 老三...

5 金庸: Jin Yong, Chinese contemporary writer of 武侠小说

6 武侠小说: fiction involving swordsmanship

7 言谈举止: speech and deportment
e.g. 他的言谈举止很有礼貌。

8 侠肝义胆: chivalrous deeds and fearless spirit

城里人打交道¹，要多留个心眼儿²，别上当³！我看上去有点傻，其实我一点也不傻。"

没想到我和老六分在同一间宿舍。我们宿舍一共有八个人。我们按每个人的生日排⁴，我排老二，老六还是排老六，所以他还是叫老六。老六把他自己当做我的弟弟，总是叫自己"老弟，老弟"。我认为自己是一个聪明人，老六也是一个聪明人。一个聪明人和另一个聪明人交朋友挺舒服。

我读了金庸⁵的所有武侠小说⁶，我的言谈举止⁷也表现出武侠小说里人物的侠肝义胆⁸。尽管有人背后

shuō wǒ mào shǎ qì　　kě wǒ bú zài hu　　lǎo liù pāi
说 我 冒 傻 气 ¹，可 我 不 在 乎 ²！老 六 拍
zhe wǒ de jiān　shuō　　wǒ tè fú nǐ
着 我 的 肩，说："我 特 服 你 ³！"

　　　wǒ men zài yì qǐ shí jiān cháng le　wǒ fā xiàn
　　我 们 在 一 起 时 间 长 了，我 发 现
lǎo liù méi yǒu shí jiān gài niàn　gàn shén me dōu shì
老 六 没 有 时 间 概 念，干 什 么 都 是
wǒ jiào tā　zǎo shang jiào tā qǐ chuáng zuò zǎo cāo
我 叫 他。早 上 叫 他 起 床 做 早 操、
shàng kè　shàng tú shū guǎn　lián shàng shí táng yě
上 课、上 图 书 馆，连 上 食 堂 也
děi wǒ jiào tā　méi bàn fǎ　tā shì wǒ de lǎo dì ya
得 我 叫 他。没 办 法，他 是 我 的 老 弟 呀！
chī fàn de shí hou shí táng li rén tè bié duō　wǒ men
吃 饭 的 时 候 食 堂 里 人 特 别 多，我 们
fēn kāi pái duì　wǒ pái duì mǎi cài　lǎo liù qù mǎi fàn
分 开 排 队，我 排 队 买 菜，老 六 去 买 饭。
guò yí ge xīng qī　wǒ men zài huàn guò lái　tā mǎi
过 一 个 星 期，我 们 再 换 过 来，他 买
cài　wǒ mǎi fàn　wǒ men liǎ dōu shì tè kùn shēng
菜，我 买 饭。我 们 俩 都 是 特 困 生 ⁴，
dōu yǒu shēng huó bǔ zhù　wǒ men měi cì mǎi fàn
都 有 生 活 补 助 ⁵。我 们 每 次 买 饭
dōu hěn jié shěng
都 很 节 省 ⁶。

　　jīnr　wǎn shang　wǒ mǎi le yí fènr　shāo
　　今 儿 晚 上，我 买 了 一 份 儿 烧
tǔ dòu　tǔ dòu kuài yòu dà yòu hēi　hái yǒu tāng
土 豆，土 豆 块 又 大 又 黑，还 有 汤。

1 冒傻气: behave foolishly

2 不在乎: not care
e.g. 他总是做自己喜欢做的事,不在乎别人说什么。

3 特服你: extremely admire you

4 特困生: short term for 特别困难的学生, students with special difficulties in life

5 生活补助: money granted to the students who have difficulties in life

6 节省: economical; save
e.g. 这样做会节省很多时间。
e.g. 她在生活上很节省。

老六买了三个馒头，递给我一个，自己拿起一个，拿起筷子就吃起来。他用筷子扎住土豆块，放进馒头里。老六把两支筷子分开，一手一支，从两边对着插进馒头，慢慢举高，张开嘴一口咬下去……无论春夏秋冬，不管吃饭还是吃面，老六吃饭的样子都跟别人不一样。他吃饭的样子总是惹得同学们偷偷地笑。他也不在乎。他把左脚放在屁股下面，坐在凳子上，吃得津津有味[1]。

我们从食堂出来，一起去教室，一起上晚自习。我们的学校是在一个海边城市，校园里刮起了海风。我背着手走，老六摸着肚子走。

e.g. 这儿的菜不错，大家吃得津津有味。

wǒ men zǒu guò jiào xué lóu cháng cháng de zǒu láng
我 们 走 过 教 学 楼 长 长 的 走 廊，

zǒu jìn jiào shì   shàng wǎn zì xí de rén bù duō   wǒ
走 进 教 室。上 晚 自 习 的 人 不 多，我

liǎ zǒu dào hòu miàn de zuò wèi   zuò le xià lái
俩 走 到 后 面 的 座 位，坐 了 下 来。

lǎo liù pèng peng wǒ   wǒ kàn jiàn qián miàn jǐ
老 六 碰 碰 我，我 看 见 前 面 几

pái yí ge nán shēng hé yí ge nǚ shēng   zuò zài yì qǐ
排 一 个 男 生 和 一 个 女 生 ¹ 坐 在 一 起。

nán shēng zài tīng nà ge nǚ shēng shuō huà   nǚ shēng
男 生 在 听 那 个 女 生 说 话。女 生

de tóu fa hěn cháng   zài nǎo hòu zā chéng yì bǎ mǎ
的 头 发 很 长，在 脑 后 扎 成 一 把 马

wěi ba   tā piān zhe tóu   xiǎo shēng shuō zhe shén
尾 巴 ²。她 偏 着 头， 小 声 说 着 什

me   xiào le   tā de mǎ wěi ba bǎi lái bǎi qù   wǎng
么，笑 了。她 的 马 尾 巴 摆 来 摆 去， 往

zuǒ piān yí xià   wǎng yòu piān yí xià   nán shēng yě
左 偏 一 下，往 右 偏 一 下。男 生 也

xiào le   diǎn zhe tóu   dēng guāng jiāng tā men liǎ
笑 了，点 着 头。灯 光 将 他 们 俩

de yǐng zi lā de hěn cháng
的 影 子 拉 得 很 长 ……

wǒ hé lǎo liù tǎo lùn guò ài qíng   wǒ rèn
我 和 老 六 讨 论 过 爱 情。我 认

wéi   zài dà xué zhǎo duì xiàng   bù hé suàn   dà
为：在 大 学 找 对 象 ³，不 合 算 ⁴。大

xué shì yì shēng shì yè dǎ jī chǔ de shí hou   rú guǒ
学 是 一 生 事 业 打 基 础 的 时 候。如 果

---

1 **男生**: boy student;
女生: girl student

2 **马尾巴**: ponytail

3 **找对象**: look for a
boyfriend or girlfriend;
Other phrases 介绍对
象, introduce a boyfriend
or girlfriend; 有对象,
have a boyfriend or
girlfriend

4 **（不）合算**: (not)
worthwhile
e.g. 坐飞机去太贵，
还是坐火车去合算。

你潇洒 [1] 四年，将会降低你一生
事业的高度，影响你今后的生活
质量。除此之外，在大学谈恋爱还
要浪费大量的精力、时间和钱，最
后花落谁家又难说 [2]……老六对爱
情的认识达不到我这个高度，但他
很朴素，也很聪明。他说："如果我
想找对象，我要回农村找。在
乡下，我有文化，吃皇粮 [3]，漂亮
的姑娘随便让我挑！比如说我看
上了村子里的小菜花 [4]，她肯定高兴
坏了！当然了，我是打个比方 [5]。"

我微笑着，斜着眼看老六。他低
下头，铺开纸写起来了。校报 [6] 向新
大学生征稿 [7]，让新生们写一

1 潇洒: with an easy and natural bearing
e.g. 他的言谈举止很潇洒。

2 花落谁家又难说: It is hard to see who will marry the beautiful girl in the end.

3 吃皇粮: work with government pay

4 小菜花: a girl's name

5 打(个)比方: use an analogy
e.g. 你的意思我懂，用不着打比方了。

6 校报: university journal

7 征稿: solicit contributions

写到大学后的感受¹。我和老六商量，学校对咱们特困生挺热情的，咱们得表示表示感谢。我写的文章是《师大²，我想对你说》，老六的文章是《感谢师大》。第二天，我和老六就拿着我们俩的稿子³来到了校报办公室。下雨了，这是个多雨的夏天。雨不大，近处的房屋、树木、打伞的行人，都很模糊。我说："老六，你写的那些东西，太实在了。"老六眨眨小眼睛说："你写的也不怎么样，什么'校园的美丽流淌着'，这样的句子通吗？"我"扑哧"笑了，说："那咱们就等着瞧吧。"

校报的老师年纪很大，坐在一

1 感受: impression
e.g. 他看到农村的变化,感受很深。

2 师大: normal university

3 稿子: draft, article

zhāng zhuō zi hòu miàn　　lǎo shī de bèi hòu shì yí
张　桌子后面。老师的背后是一
miàn qiáng shū jià　 wǒ shuō　　 lǎo shī　 nín hǎo　 wǒ
面　墙书架。我说："老师，您好！我
men shì dì lǐ xì de　 lái sòng gǎo zi　　 lǎo shī zhāi
们是地理系的，来送稿子。"老师摘
xià yǎn jìng　 xiào dào　　 jìn lái　 jìn lái
下眼镜，笑道："进来，进来。"

lǎo shī jiē guò wǒ men de gǎo zi　　 kàn le yì
老师接过我们的稿子，看了一
yǎn　 fàng dào yì biān　 gēn wǒ men liáo qǐ tiān lái
眼，放到一边，跟我们聊起天来，
wèn wǒ men liǎ de jiā shì nǎr　 de　 jiā li shēng huó
问我们俩的家是哪儿的，家里生活
de zěn me yàng　 wǒ liǎ tǐng gǎn dòng　 lái xué xiào
得怎么样。我俩挺感动，来学校
zhè me jiǔ le　 cóng lái méi yǒu rén zhè me zǎi xì wèn
这么久了，从来没有人这么仔细问
guò wǒ men　 zuì hòu　 lǎo shī hěn dòng gǎn qíng de
过我们。最后，老师很动感情地
shuō　　 nóng mín zhēn bù róng yì ya　 wǒ yào shì
说："农民真不容易呀！"我要是
ge nǚ tóng xué　 kěn dìng gǎn dòng de kū le　 wǒ liǎ
个女同学，肯定感动得哭了。我俩
yí kàn chā bu duō le　 jiù gào cí chū lái le
一看差不多了，就告辞[1]出来了。

bàn ge yuè hòu　 xiào bào chū lái le　 yǒu rén
半个月后，校报出来了。有人
gào su wǒ　 lǎo liù de wén zhāng dēng bào le　 wǒ yì
告诉我，老六的文章登[2]报了。我一

1 告辞: take leave

2 登: publish an article
in the newspaper

tīng jiù lǎn de fān nà pò bào zhǐ   xiào bào bú yòng
听 , 就 懒 得¹翻 那 破 报 纸 。校 报 不 用

wǒ de gǎo zi xíng   kě shì yě bié shén me gǎo zi dōu
我 的 稿 子 行 , 可 是 也 别 什 么 稿 子 都

dēng ya   wǎn shang huí dào sù shè   wū li hěn jìng
登 呀 ! 晚 上 回 到 宿 舍 , 屋 里 很 静 ,

dà huǒ gè máng gè de   wǒ tái tóu qiáo le yì yǎn lǎo
大 伙 各 忙 各 的 。我 抬 头 瞧 了 一 眼 老

liù   tā tǎng zài chuáng shang   shuāng shǒu fàng zài
六 , 他 躺 在 床 上 , 双 手 放 在

nǎo dai xià miàn   dèng zhe xiǎo yǎn jing   wàng zhe
脑 袋 下 面 , 瞪 着 小 眼 睛 , 望 着

wū dǐng
屋 顶²。

　　wǒ ké sou yì shēng lǎo liù méi zhī shēng   wǒ
　　我 咳 嗽 一 声 , 老 六 没 吱 声³。我

shōu shi dōng xi zhǔn bèi shuì jiào zhè shí lǎo liù wèn
收 拾 东 西 准 备 睡 觉 。这 时 老 六 问

wǒ   kàn xiào bào le ma   wǒ shuō   kàn yòu
我 :" 看 校 报 了 吗 ?" 我 说 :" 看 又

zěn yàng bú kàn yòu zěn yàng   lǎo liù bǎ bào zhǐ
怎 样 , 不 看 又 怎 样 ?" 老 六 把 报 纸

rēng guò lái shuō   qiáo yì yǎn ba   wǒ jiē guò
扔 过 来 , 说 :" 瞧 一 眼 吧 。"我 接 过

bào zhǐ zhǎo lǎo liù de wén zhāng   lǎo liù wén zhāng
报 纸 找 老 六 的 文 章 。老 六 文 章

de biāo tí   xìng míng hé jǐ ge jù zi méi yǒu gǎi
的 标 题 、姓 名 和 几 个 句 子 没 有 改

dòng   dàn shì zhěng gè wén zhāng de nèi róng quán
动 , 但 是 整 个 文 章 的 内 容 全

---

1 懒得: be tired of do-
ing something or un-
willing to do some-
thing

2 屋顶: roof

3 吱声: (in negative
form) utter a sound and
a word

dōu biàn le　hǎo xiàng lǎo liù néng lái shàng dà xué
都 变 了，好 像 老 六 能 来 上 大 学，

quán shì xué xiào de bāng zhù　wén zhāng bǎ lǎo liù
全 是 学 校 的 帮 助。文 章 把 老 六

de jiā xiě de hěn qióng　wǒ kàn wán hòu　xīn li zhēn
的 家 写 得 很 穷 。我 看 完 后，心 里 真

bú shì zī wèi　wǒ hé lǎo liù de xīn qíng yí yàng　suī
不 是 滋 味 ¹。我 和 老 六 的 心 情 一 样 ，虽

rán jiā li qióng　què bú yuàn yì bèi rén jiā miáo xiě
然 家 里 穷 ，却 不 愿 意 被 人 家 描 写

de zhè yàng kě lián　wǒ hé lǎo liù yí yàng　jué de
得 这 样 可 怜 ²! 我 和 老 六 一 样，觉 得

zì zūn xīn　shòu dào le shāng hài
自 尊 心 ³ 受 到 了 伤 害 ⁴!

　　sù shè li　dà jiā dōu zhǔn bèi shàng chuáng le
　　宿 舍 里，大 家 都 准 备 上 床 了。

kào chuāng hu de lǎo wǔ cóng chuáng dǐ xià ná chū yì
靠 窗 户 的 老 五 从 床 底 下 拿 出 一

shuāng pò pí xié　rēng gěi mén kǒu de lǎo sān　duì tā
双 破 皮 鞋，扔 给 门 口 的 老 三，对 他

shuō　bǎ xié rēng dào mén wài qù　lǎo sān ná zhe
说："把 鞋 扔 到 门 外 去。"老 三 拿 着

xié gāng xiǎng chū qù　lǎo wǔ yòu gǎi biàn le zhǔ yi
鞋 刚 想 出 去，老 五 又 改 变 了 主 意，

shuō　bié rēng　gěi lǎo liù ba　wū li yí xià jìng
说："别 扔，给 老 六 吧。"屋 里 一 下 静

le xià lái　lǎo liù xiào zhe shuō　xiè le　dà jiā dōu
了 下 来。老 六 笑 着 说："谢 了!"大 家 都

sōng le kǒu qì　xiào le xiào　lǎo liù jiē guò xié　cā
松 了 口 气，笑 了 笑。老 六 接 过 鞋，擦

---

1 滋味: experience, feeling
e.g. 听了这话，我心里真不是滋味。

2 可怜: pitiful
e.g. 这个孩子的样子很可怜。

3 自尊心: self-respect

4 伤害: harm, hurt
e.g. 他伤害了我的自尊心。

擦灰尘，把鞋摆在窗台¹上。

关灯以后，大家要交流一下各方面的信息，系里要搞什么活动，谁家有钱，谁和谁谈恋爱分手了，谁又和谁好了等等。大家聊的时间不长，一会儿，就没动静了。

我和老六没有参加他们的聊天。别人都睡了，可我们睡不着。我们俩都趴在床头，望着窗外。对面的宿舍楼也黑了，有一间宿舍点着蜡烛²。

我说："家里的地里活³又快忙了。"

老六说："忙点好，有个奔头⁴。"

1 窗台: window sill

2 蜡烛: candle

3 地里活: same as "农活"(farm work)

4 奔头: prospects
有奔头, have bright prospects; 没奔头, have nothing to look forward to

对面宿舍的那扇 窗户突然

亮了许多，桌边围着几个人，举起

了啤酒瓶。

老六道："你家今年地里咋样？"

我说："家里来信说，今年雨水

足，年景好，可是粮食的价格却没

涨¹，并且还不停地往下掉。"

我们沉默了一会儿。忽然，老六

下床，光着脚，走到窗台边，

拿起一只皮鞋，向外使劲一甩，接

着，"噗"地一响。

剩下一只鞋，仍然放在窗

台上。

我说："为什么不全扔？"

老六说："留一只，给他们提个

1 涨: rise
涨价, Prices rise.

^{xǐngr} ^{lǎo wǔ de bà ba xià gǎng kuài bàn nián}
醒 儿¹。老 五 的 爸 爸 下 岗² 快 半 年
^{le tā píng shén me bǎ yào rēng de xié gěi wǒ}
了，他 凭³ 什 么 把 要 扔 的 鞋 给 我，
^{píng shén me qiáo bu qǐ nóng cūn rén tā lǎo wǔ bǐ}
凭 什 么 瞧 不 起 农 村 人！他 老 五 比
^{wǒ duō shà hái bú shì hé wǒ yí yàng yí dùn fàn}
我 多 啥？还 不 是 和 我 一 样，一 顿 饭
^{yí ge mán tou yí fèn xián cài ma shéi bǐ shéi}
一 个 馒 头、一 份 咸 菜⁴ 吗？ 谁 比 谁
^{tè kùn}
特 困⁵！"

^{duì miàn sù shè li de rén jǔ qǐ le jiǔ píng}
　　对 面 宿 舍 里 的 人 举 起 了 酒 瓶。
^{wǒ xiǎng yào shi hē diǎn jiǔ xīn qíng gāi yǒu duō}
我 想：要 是 喝 点 酒，心 情 该 有 多
^{hǎo a}
好 啊！

^{lǎo liù huí dào chuáng shang shuō wǒ jiā jīn}
　　老 六 回 到 床 上，说："我 家 今
^{tiān lái xìn le gào su wǒ wǒ de xiǎo mèi bú shàng}
天 来 信 了，告 诉 我，我 的 小 妹 不 上
^{xué le}
学 了。"

^{tā jǐ nián jí}
　　"她 几 年 级？"．

^{gāo zhōng èr nián jí lǎo liù shuō hái}
　　"高 中 二 年 级，"老 六 说，"还
^{shi zhòng diǎn gāo zhōng}
是 重 点 高 中。"

1 提个醒儿: remind
e.g. 给你提个醒儿，别忘了吃药。

2 下岗: be laid off
下岗工人, layoffs

3 凭: based on
e.g. 你凭什么跟我发脾气?

4 咸菜: pickles; salted vegetables

5 特困: short term for 特别困难

wǒ méi yǒu zhī shēng　xiǎng dào wǒ shàng gāo
我 没 有 吱 声 。想 到 我 上 高

zhōng　shàng dà xué huā de qián　jiā li zhēn shì kùn
中 、上 大 学 花 的 钱 ，家 里 真 是 困

nan a
难 啊 !

lǎo liù tàn kǒu qì　shuō　wǒ mèi mei bǐ wǒ
老 六 叹 口 气 ，说 ："我 妹 妹 比 我

kǔ　tā shàng chū zhōng shí　měi tiān dōu yào fān
苦 。她 上 初 中 时 ，每 天 都 要 翻

shān　èr shí lái lǐ dì　zhōng wǔ cóng bú dài fàn
山 ，二 十 来 里 地 。中 午 从 不 带 饭 ，

wǎn shang huí lái hái yào bāng wǒ mā gàn huó　wǒ
晚 上 回 来 还 要 帮 我 妈 干 活 。我

bà shēn tǐ bù hǎo　yāo yǒu bìng　píng shí zhǐ néng
爸 身 体 不 好 ，腰 有 病 ，平 时 只 能

zài jiā li tǎng zhe　mèi mei ài xiào　wéi zhe wǒ
在 家 里 躺 着 。妹 妹 爱 笑 ，围 着 我

mā　yì biān gàn huó yì biān jiǎng xué xiào de shì
妈 ，一 边 干 活 一 边 讲 学 校 的 事 。

wǒ bà měi tiān zài nà ge shí hou　jiù cóng kàng ¹
我 爸 每 天 在 那 个 时 候 ，就 从 炕 ¹

shang xià lái　zuò zài mén kǒu　chōu zhe yān dài
上 下 来 ，坐 在 门 口 ，抽 着 烟 袋 ² ，

tīng mā ma hé xiǎo mèi liáo tiān　yǒu yí cì　wǒ
听 妈 妈 和 小 妹 聊 天 。有 一 次 ，我

kàn jiàn mā ma zuò fàn　wū zi li yān tè bié dà
看 见 妈 妈 做 饭 ，屋 子 里 烟 特 别 大 ，

wǒ mā ké sou qǐ lái　xiǎo mèi gǎn máng pǎo guò
我 妈 咳 嗽 起 来 。小 妹 赶 忙 跑 过

1 炕: a bed built on a brick base, with a fire underneath to heat the bed

2 烟袋: long-stemmed pipe usu. with a bowl filled with tobacco leaves

来，给我妈捶背[1]。我也不能在炕
上 看书了，也出来使劲扇烟。我妈
叫我上 院子里看书，说有小妹
帮 忙就行了。饭做好了，我们一
家四口坐下来吃饭。我爸往我碗里
夹菜，说，多吃点，学习费脑子。我家
每 顿 饭就一个菜。那点儿菜，也差不
多都给到我碗里了。我爸我妈在信
上 说——好好学习，出去上大
学了，就别回来了。还说，我小妹，一
个女孩子，家里也实在供[2]不起了。"

　　老六说："我给家回信，告诉我爸
我妈，小妹的学一定要上，我供！
我以后每月给她寄四十块钱。再忍
一忍，等我大学毕业，就行了。"

1 捶背: pound the back
(as a massage)

2 供: supply

　　nǐ shàng nǎr　lòng nà sì shí kuài qù
　"你 上　哪儿 弄 那四十 块 去？"

　　měi ge yuè wǒ de xué shēng bǔ zhù wǔ shí wǔ
　"每个月我的学　生　补助五十五

yuán　tè kùn shēng bǔ zhù sān shí yuán　wǒ lǐ bài
元，特困　生　补助三十元，我礼拜

liù　lǐ bài tiān liǎng fèn jiā jiào　néng zhèng liù shí
六、礼拜天　两份家教¹ 能　挣 六十

yuán　yí gòng shì yì bǎi sì shí wǔ yuán　jì zǒu sì
元，一共是一百四十五元。寄走四

shí yuán　liú shí wǔ kuài líng huā qián　chī fàn hái
十元，留十五块 零花钱²，吃饭还

shèng jiǔ shí kuài qián　jié shěng yì diǎn jiù gòu le
剩九十块 钱，节省一点就够了。"

　　kāi wán xiào　zhè me shǎo de qián zěn me
　"开玩 笑！这么少的钱怎么

néng gòu ne
能　够呢！"

　　lǎo liù xiào dào　wǒ suàn guò　wǒ yì tiān chī
　老六笑道："我算 过，我一天吃

fàn huā sān kuài qián　yě chā bu duō le
饭花三块钱，也差不多了。"

　　wǒ shuō　zhè yàng ba　měi yuè wǒ jié shěng
　我说："这样 吧，每月我节 省

chū èr shí　nǐ zài jiā shàng èr shí　liǎng ge rén jié
出二十，你再加上　二十，两个人节

shěng zǒng bǐ yí ge rén qiáng　chī fàn de qián shì bù
省　总比一个人 强³。吃饭的钱是不

néng jié shěng de
能节省的。"

1 家教: tutor; teaching at home

2 零花钱: pocket money

3 比...强: better than
e.g. 他的英语比我强。

老六又翻了个身，双手托住下巴说："其实，我现在比上高中那时候好多了。上高中的时候，每个月家里就给我三十元钱，每个月的最后十天，是我最困难的时候。"

我说："等咱们毕业了，还得自己找工作。"

老六说："我大学毕业以后，就回农村去当老师。我有个初中女同学，考了两年高中，没考上，就回村子里教书了。她教着四十个孩子。原来有个老师，是个男的，三十来岁。不让他教了，他就站在教室外面，看着我那个女同学上课。"

tā kě zhēn yǒu yì si   wǒ shuō
"他可真有意思！"我说。

tā yǐ qián yě xiǎng kǎo chū lái   kě shì méi kǎo
"他以前也想考出来，可是没考

shàng   xiǎng dāng bīng   jiā li yòu méi qián sòng lǐ
上，想当兵[1]，家里又没钱送礼

lā guān xi   zhè cì hán jià huí jiā   wǒ yù jiàn nà nǚ
拉关系[2]。这次寒假回家，我遇见那女

tóng xué   tā huái yùn le   tǐng ge dà dù zi   wǒ wèn
同学，她怀孕[3]了，挺个大肚子。我问，

tā bà ne   nǚ tóng xué dá dào   tì wǒ shàng kè
'他爸呢？'女同学答道'替我上课

ne   wǒ wǎng jiào shì li yí kàn   yuán lái jiù shì nà ge
呢。'我往教室里一看，原来就是那个

nán lǎo shī   zhèng zài gěi xué sheng shàng kè ne
男老师，正在给学生上课呢。"

wǒ xiào le   tái qǐ tóu   duì miàn sù shè lóu   yí
我笑了，抬起头，对面宿舍楼，一

ge xué sheng zuò zài le chuāng tái shang   tā shǒu li
个学生坐在了窗台上。他手里

de jiǔ píng huàn chéng le jí tā   dī shēng de dàn
的酒瓶换成了吉他，低声地弹

chàng zhe
唱着……

wǒ shuō   duì miàn yǒu rén chàng gē
我说："对面有人唱歌。"

lǎo liù jiāng chuāng hu lā kāi yì diǎn   gē shēng
老六将窗户拉开一点，歌声

piāo le jìn lái   hēi àn zhōng   wǒ hé lǎo liù jìng jìng
飘了进来。黑暗中，我和老六静静

1 当兵: join the army

2 拉关系: try to establish a relationship with someone

3 怀孕: pregnancy, pregnant

de tīng zhe
地 听 着……

èr　jìng xuǎn
2．竞选 ¹

qù nián wǒ men bān jí xuǎn sān hǎo xué shēng
去 年 我 们 班 级 选 三 好 学 生 ²，
wǒ dé le shí sān zhāng xuǎn piào　bì jìng dé le shí
我 得 了 十 三 张 选 票 ³，毕 竟 得 了 十
liù zhāng xuǎn piào　bì jìng dāng xuǎn　jiǎng jīn
六 张 选 票。毕 竟 当 选 ⁴，奖 金 ⁵
liù bǎi kuài　bì jìng píng shén me　píng tā shì xué
六 百 块。毕 竟 凭 什 么，凭 她 是 学
shēng huì gān bù　wǒ yí ge táng táng nán zǐ hàn
生 会 干 部？我 一 个 堂 堂 男 子 汉 ⁶，
què shū gěi yí ge nǚ tóng xué　píng shí　wǒ hé dà
却 输 给 一 个 女 同 学！ 平 时，我 和 大
jiā de guān xi tǐng hǎo　kě shì zài jìng xuǎn de shí hou
家 的 关 系 挺 好，可 是 在 竞 选 的 时 候
dà jiā zěn me bù xuǎn wǒ　wǒ yào xī qǔ jiào xùn
大 家 怎 么 不 选 我？ 我 要 吸 取 教 训 ⁷，
qù nián wǒ shū gěi bì jìng　wǒ jué de jīn nián kěn dìng
去 年 我 输 给 毕 竟，我 觉 得 今 年 肯 定
néng yíng huí lái　jīn nián　wǒ zǎo zǎo zhì dìng chū le
能 赢 回 来。今 年，我 早 早 制 定 出 了
jìng xuǎn jì huá
竞 选 计 划。

wǒ gēn nán tóng xué men shuō　rú guǒ jīn
我 跟 男 同 学 们 说："如 果 今

1 竞选: election

2 三好学生: a student who does well in his studies, is of high morals and in good health

3 选票: vote

4 当选: be elected

5 奖金: prize

6 堂堂男子汉: an aboveboard and dignified man

7 吸取教训: learn a lesson

年我被选上了三好学生，我的
奖金大家用！我参加竞选不是为
了奖金，而是想争口气[1]。"

老六瞧了我一眼，说："你今年
还有把握考第一？别逮不着狐狸惹
一身骚![2]"老六和我的关系很好，他
的话我得听。

我说："你们还不相信我的脑
袋？为了争口气我也得考第一名。"

大家纷纷点头，讨论如何分配"六
百块奖金"。

老五笑眯眯地说："我妹今年
学费没交呢，你能给多少？"我
爽快[3]地说："一百。"今年夏天，
老五家的房子和地被水淹[4]了，我这

1 争口气: try to win
credit for

2 别逮不着狐狸惹一
身骚: It is a saying
implies that you don't
risk losing the credit if
you lose the election
again.

3 爽快: rank
e.g. 他的性格很爽
快。

4 淹: flood

也算替政府帮助他了。

周波说："咱们宿舍缺个石英钟[1]。"我说："拿出四十块买一个石英钟。"

老三说："我有了耐克[2]大衣和耐克鞋，现在我就少顶耐克帽，你看咋样？"我说："老三，你这是趁火打劫[3]！好，给你五十。不过别拿了钱不干事儿。"我怀疑去年竞选时，他可能没选我。

陈凯指着地上的破球说："咱班足球都不圆了，买个新的吧。"我痛快答应："我出七十块。"我也是个球皮子[4]。

齐悦男说："还有两个礼拜是

---

1 石英钟: quartz clock

2 耐克: Nike

3 趁火打劫: rob the owner while his house is on fire; profit by someone's misfortune

4 球皮子: one who is not a good player but likes to play

wǒ de shēng ri   mǎi ge dàn gāo ba   wǒ xiào dào
我的生日，买个蛋糕吧。"我笑道：

xíng   wǒ chū sān shí   zhè fèn qián   zǎo wǎn děi
"行，我出三十。"这份钱，早晚得

huā   yù dào tóng xué guò shēng ri   dà huǒ dōu yào
花，遇到同学过生日，大伙都要

chū qù chī yí dùn
出去吃一顿。

zuì hòu lǎo sān duì wǒ shuō   kāng kǎi   bié
最后老三对我说："康凯，别

wàng le bǎ qián liú chū lái hē qìng gōng jiǔ   wǒ
忘了把钱留出来喝庆功酒¹。"我

ràng lǎo liù suàn yí suàn hái shèng duō shao qián   lǎo
让老六算一算还剩多少钱。老

liù suàn le yí xià   shuō   liù bǎi jiǎn wǔ bǎi èr shí
六算了一下，说："六百减五百二十

wǔ   hái shèng qī shí wǔ kuài
五，还剩七十五块。"

wǒ diǎn diǎn tóu   shuō   wǒ zài gěi nǐ èr shí
我点点头，说："我再给你二十

wǔ kuài qián zuò huó dòng jīng fèi   bù xǔ mǎi yān
五块钱做活动经费²，不许买烟

chōu   shèng xià wǔ shí   wǒ zhǔn bèi jiàn lì ge ài
抽。剩下五十，我准备建立个爱

qíng jī jīn   shéi zhǎo dào le nǚ péng you   wǒ chū
情基金³，谁找到了女朋友，我出

qián   qǐng tā men kàn diàn yǐng
钱，请他们看电影。"

dà huǒ rè liè gǔ zhǎng   wǒ zhè me zuò   yě shì
大伙热烈鼓掌。我这么做，也是

1 喝庆功酒: toast for celebration

2 活动经费: expenditure for the election

3 爱情基金: love fund

有目的的。因为我知道有两个男生正在和班里女生谈恋爱。他们的女朋友也许会投我的票。最后，我说："今年我参加三好学生竞选，全靠大家支持了。"

几天后，老六跟我说，有些同学对我的做法有意见。我的竞选对手毕竟还是一边围着老师转，一边做她的竞选准备工作。有一次我碰到了毕竟，她笑着说："怎么样？事情进行得还顺利吧？"我没理她，从她旁边走了过去。

竞选的日子终于到了。那天上午要先宣布考试成绩，然后大家选三好学生。那天早上，我

1 陆陆续续: one after another

e.g. 客人们陆陆续续地都到了。

2 竖起大拇指: a gesture to praise someone who has done something successfully

3 得意: pleased with oneself; proud of oneself

e.g. 他得了冠军,所以很得意。

4 小丫头,好戏在后头呢: Little girl, wait to see who will win in the end.

5 班委会: class committee

6 候选人: candidate

qǐ de hěn zǎo xǐ le tóu huàn le jiàn xīn chèn yī
起得很早,洗了头,换了件新衬衣,
hěn yǒu xìn xīn de zǒu jìn jiào shì tóng xué men lù lù
很有信心地走进教室。同学们陆陆
xù xù dào le lǎo liù zuò zài qián miàn lí bì jìng
续续¹到了,老六坐在前面,离毕竟
bù yuǎn bān zhǎng xuān bù qī mò kǎo shì chéng jì
不远。班长宣布期末考试成绩:
dì yī míng kāng kǎi zǒng fēn liù bǎi jiǔ shí liù fēn
"第一名,康凯,总分 696 分;
dì èr míng bì jìng zǒng fēn liù bǎi jiǔ shí yī fēn
第二名,毕竟,总分 691 分……"
lǎo liù méi huí tóu bǎ yòu shǒu shēn chū lái
老六没回头,把右手伸出来,
duì wǒ shù qǐ dà mǔ zhǐ wǒ xīn li hěn dé yì
对我竖起大拇指²。我心里很得意³,
xiàng dà jiā diǎn diǎn tóu bì jìng yě huí tóu kàn le
向大家点点头。毕竟也回头看了
wǒ yì yǎn
我一眼。

wǒ yě kàn le tā yì yǎn xīn li shuō xiǎo yā
我也看了她一眼,心里说,小丫
tou hǎo xì zài hòu tou ne niàn wán chéng jì bān
头,好戏在后头呢!⁴念完成绩,班
zhǎng shuō gēn jù sān hǎo xué shēng de biāo zhǔn
长说:"根据三好学生的标准,
jīng guò bān wěi huì de tǎo lùn tí míng kāng kǎi hé
经过班委会⁵的讨论,提名康凯和
bì jìng tóng xué wéi hòu xuǎn rén xià miàn fā xuǎn
毕竟同学为候选人⁶。下面发选

piào　qǐng dà jiā zǐ xì kǎo lǜ　rèn zhēn tián xiě
票，请大家仔细考虑，认真　填写。"

　　　　　páng biān yǒu rén xiǎo shēng shuō　　hòu xuǎn
　　　旁　边 有 人 小　声　说："候 选
rén bú jiù shì yí ge dì yī míng hé yí ge dì èr míng
人 不 就 是 一 个 第 一　名　和 一 个 第 二　名
ma　shén me shí hou wǒ men yě néng dāng yí cì hòu
吗？什 么 时 候 我 们 也 能　当 一 次 候
xuǎn rén
选 人。"

　　　　　zhè shí　 yì míng nǚ tóng xué zhàn qǐ lái　 duì
　　　这 时，一 名 女 同 学 站 起 来，对
bān zhǎng shuō　　wǒ bù tóng yì zhè yàng de xuǎn
班　长　说："我 不 同 意 这 样 的　选
jǔ　gǎi gé kāi fàng dōu èr shí nián le　bān jí de mín
举。改 革 开 放 都 二 十 年 了，班 级 的 民
zhǔ zhì dù　hái méi yǒu gǎi biàn　wǒ tuì chū xuǎn
主 制 度 ¹ 还 没 有 改　变。我 退 出　选
jǔ　　shuō bà　tā ná qǐ shū bāo jiù zǒu le　zhè ge
举！" 说 罢，她 拿 起 书 包 就 走 了。这 个
nǚ shēng hěn yǒu gè xìng　yǒu yí cì xué xiào wèi
女 生　很 有 个 性 ²。有 一 次 学　校　为
fāng biàn tóng xué　zài sù shè li zhuāng le diàn huà
方 便 同 学，在 宿 舍 里　装 了 电 话，
měi rén shōu sān shí kuài yā jīn　tā rèn wéi bù hé
每 人 收 三 十 块 押 金 ³，她 认 为 不 合
lǐ　shì luàn shōu fèi　jiù gěi xiào zhǎng xiě le yì
理，是 乱 收 费 ⁴，就 给 校　长　写 了 一
fēng gōng kāi xìn　tā jué de hái bú gòu　yòu bǎ diàn
封　公 开 信。她 觉 得 还 不 够，又 把 电

1 民主制度：demo-cratic system

2 个性：character, personality

3 押金：deposit

4 乱收费：unreasonable charge
e.g. 政府不允许学校乱收费。

shì tái jì zhě jiào lái le　　nào de mǎn chéng fēng yǔ
视台记者叫来了，闹得满城风雨[1]。

lǎo liù huí guò tóu　　chòng wǒ xiào yí xiào　bān zhǎng
老六回过头，冲我笑一笑。班长

xuān bù　　qì quán　yí piào　dà jiā tián wán xuǎn
宣布："弃权[2]一票。"大家填完选

piào　wǒ suàn le　yí xià　quán bān shí èr míng nán
票，我算了一下：全班十二名男

shēng　zuì shǎo néng yǒu shí yī ge xuǎn wǒ　shí qī
生，最少能有十一个选我；十七

míng nǚ shēng　jù lǎo liù shuō　kě néng yǒu sì wǔ ge
名女生，据老六说，可能有四五个

nǚ shēng xuǎn wǒ　suī rán qì quán yí ge　yě méi
女生选我。虽然弃权一个，也没

shén me guān xi　wǒ gū jì dà gài néng dé shí wǔ liù
什么关系。我估计大概能得十五六

zhāng xuǎn piào　bì jìng yě jiù zhǐ yǒu shí sān sì
张选票，毕竟也就只有十三四

zhāng　rú guǒ zhè yàng de huà　wǒ jiù jìng xuǎn
张。如果这样的话，我就竞选

chéng gōng le　bān zhǎng hé yí ge tóng xué chàng
成功了！班长和一个同学唱

piào　wǒ qī piào　bì jìng wǔ piào　wǒ jiǔ piào
票[3]。我七票，毕竟五票；我九票，

bì jìng shí piào　wǒ kāi shǐ jǐn zhāng le　méi xiǎng
毕竟十票。我开始紧张了，没想

dào bì jìng zhuī de zhè me jǐn　wǒ shí sān piào　bì
到毕竟追得这么紧。我十三票，毕

jìng shí sì piào　zhǐ yǒu yí piào méi dǎ kāi le　zhè
竟十四票，只有一票没打开了。这

1 满城风雨: (of the news, rumor) spread all over the city; the talk of the town
e.g. 他们俩恋爱的事情弄得满城风雨。

2 弃权: abstain from one's right in election or voting

3 唱票: call out the names voted

zhāng piào rú guǒ xuǎn wǒ　suī rán wǒ liǎ piào shù yí
张　票 如 果 选 我，虽 然 我 俩 票 数 一
yàng　kě wǒ de chéng jì shì dì yī míng　sān hǎo xué
样，可 我 的 成 绩 是 第 一 名，三 好 学
shēng réng rán yīng gāi shì wǒ　wǒ xīn li fēi cháng jǐn
生 仍 然 应 该 是 我。我 心 里 非 常 紧
zhāng　lǎo liù yòu huí tóu　chòng wǒ tàn qì　yáo
张 。老 六 又 回 头， 冲 我 叹 气¹，摇
yao tóu　wǒ xīn li mà dào　bú tì wǒ jiā yóu　tàn
摇 头。我 心 里 骂 道：不 替 我 加 油，叹
shén me qì
什 么 气！

bì jìng zuò zài nàr　yí fù yōu rán zì dé de
毕 竟 坐 在 那 儿，一 副 悠 然 自 得²的
yàng zi　bān zhǎng dǎ kāi zuì hòu yì zhāng xuǎn
样 子。班 长 打 开 最 后 一 张 选
piào　zhè shì yì zhāng kòng bái de xuǎn piào　wǒ
票——这 是 一 张 空 白 的 选 票。我
yòu shū le　wǒ dī xià tóu　xīn li fēi cháng nán
又 输 了！我 低 下 头，心 里 非 常 难
guò　wǒ méi xiǎng dào wǒ huì shū　nà me shì shéi méi
过。我 没 想 到 我 会 输，那 么 是 谁 没
tián xuǎn piào
填 选 票？！

jìng xuǎn jié shù le　jiào shì li zhǐ shèng xià
竞 选 结 束 了，教 室 里 只 剩 下
wǒ hé lǎo liù le　wǒ kǔ xiào dào　móu shì zài
我 和 老 六 了。我 苦 笑 道："谋 事 在
rén　chéng shì zài tiān　a　lǎo liù yáo yao tóu
人， 成 事 在 天³啊。"老 六 摇 摇 头，

1 叹气: sigh

2 悠然自得: carefree and content
e.g. 他一边看书，一边听音乐，一副悠然自得的样子。

3 谋事在人，成事在天: Man proposes, God disposes.

说："毕竟没填选票。她来的时候，连笔都没带。你没选上，看来还有世道人心[1]。"我长出一口气，看着老六的脸说："这些天把你累坏了。"老六笑嘻嘻地说："其实虽然你输了，也没输什么。你跟大家说的那些计划都是空头支票[2]。你也没失去什么。"

我俩走出教室，外面阳光灿烂[3]。我们走进了阳光里。

3．上铺[4]

在大学的宿舍里，萧风是我的同屋，睡在我的上铺。他拍拍我的肩膀，说："我在初中、高中一

1 世道人心: the way of the world and the heart of human being

2 空头支票: bad cheque It implies that what Kang Kai promises his classmates is empty promise.

3 阳光灿烂: the sun shining brightly

4 上铺: upper berth

zhí shuì shàng pù　dào dà xué bào dào nà huìr　　　wǒ
直 睡 上 铺。到 大 学 报 到 那 会 儿，我
gū jì zài zhèr　　yě néng shuì shàng pù　shuì shàng pù
估 计 在 这 儿 也 能 睡 上 铺。睡 上 铺
shuǎng　　　wǒ diǎn diǎn tóu　hǎo xiàng zhī dào le
爽 ¹。" 我 点 点 头，好 像 知 道 了
wèi shén me tā xǐ huan shuì shàng pù　tā de shǒu
为 什 么 他 喜 欢 睡 上 铺。他 的 手
jìn tǐng dà　wǒ men zài yì qǐ shuō huà hěn suí biàn
劲 挺 大。我 们 在 一 起 说 话 很 随 便 ²。

xiāo fēng měi tiān àn shí qǐ chuáng　bāo kuò lǐ
　　萧 风 每 天 按 时 起 床，包 括 礼
bài liù　lǐ bài tiān　tā qǐ lái hòu　jiù bǎ bèi zi dié
拜 六、礼 拜 天。他 起 来 后，就 把 被 子 叠 ³
hǎo　wǒ men zhèr　　shàng pù dié bèi zi de rén hěn
好。我 们 这 儿 上 铺 叠 被 子 的 人 很
shǎo　tā yì dié bèi　chuáng jiù　　zhī zhī yā yā
少。他 一 叠 被，床 就 "吱 吱 呀 呀"
xiǎng　wǒ yě xǐng le　wǒ shuō　zǎo　　ya
响，我 也 醒 了。我 说："早——呀！"
xiāo fēng bù hǎo yì si dì xiào le　huí dá
　　萧 风 不 好 意 思 地 笑 了，回 答
shuō　tiān yí liàng jiù shuì bu tā shi
说："天 一 亮 就 睡 不 踏 实 ⁴。"
tā suī rán qǐ lái le　dàn bú xià chuáng　xiāo
他 虽 然 起 来 了，但 不 下 床。萧
fēng shuō　tā xǐ huan dāi zài shàng pù　xǐ huan dāi
风 说，他 喜 欢 待 在 上 铺，喜 欢 待
zài shàng pù de gǎn jué　xǐ huan zài shàng bian kàn
在 上 铺 的 感 觉，喜 欢 在 上 边 看

1 爽 : feel fine and comfortable

2 随便: casually
e.g. 我说话很随便，请不要见怪。

3 叠: fold

4 踏实: down-to-earth; steadfast
e.g. 这个学生学习很踏实。
e.g. 工作就应该踏踏实实地干。

kàn shū tīng ting gē tā xǐ huan zài shàng pù kàn zhe
看书、听听歌。他喜欢在上铺看着

wǒ men wéi zhe zhuō zi chī fàn de yàng zi wǒ yǒu
我们围着桌子吃饭的样子。我有

shí tái qǐ tóu ràng tā xià lái yí kuàir chī dàn shì
时抬起头，让他下来一块儿吃，但是

xiāo fēng hái shi xǐ huan zài zì jǐ de shàng pù chī
萧风还是喜欢在自己的上铺吃

fàn tā bǎ fàn gāng fàng zài shàng pù de shū jià
饭。他把饭缸¹放在上铺的书架

shang xiāo fēng de shū jià shang shén me dōu fàng
上。萧风的书架上什么都放。

dāng chū xiāo fēng mǎi le shū jià dīng zài chuáng
当初，萧风买了书架，钉在床

tóu rán hòu wǎng lǐ tián shū tā de shū shǎo méi
头，然后往里填书。他的书少，没

tián mǎn tā yòu bǎ tā de suí shēn tīng hé cí dài
填满，他又把他的随身听²和磁带

wǎng lǐ duī hái yǒu kōng dì fang xiāo fēng yòu bǎ
往里堆。还有空地方，萧风又把

fàn gāng fàng zài shàng miàn wǒ xiào tā shuō hē
饭缸放在上面。我笑他，说："嗬

nǐ de shū jià jiǎn zhí chéng le dà zá huì le xiāo
你的书架简直成了"大杂烩"³了！"萧

fēng xiǎng le xiǎng shuō yě shì tā bú yuàn yì
风想了想，说："也是。"他不愿意

cóng shàng pù xià lái jiù ràng wǒ qù lóu xià shāng diàn
从上铺下来，就让我去楼下商店

mǎi yì fú jiǎn zhǐ lā huā wǒ xiàng tù zi yí yàng pǎo
买一幅剪纸拉花⁴。我像兔子一样跑

---

1 饭缸: food mug, a food container bigger than a bowl

2 随身听: personal cassette player; "walk-man"

3 大杂烩: mixture of dishes; mixture of dissimilar things without order or proper arrangement

4 剪纸拉花: paper-cut garland

下楼去买剪纸拉花。萧风用我买
来的剪纸拉花罩[1]住书架。然后，他
看着书架上的书、饭缸、随身听
和罩在上面的剪纸拉花，高兴
地吹了声口哨[2]。布置完床头
书架，萧风又翻出乔丹[3]的画贴在
墙上。从下面往上看，好
像乔丹一使劲，就能把篮球扣进
萧风的饭缸里。

　　萧风常常是脑袋枕着被
子，躺在上铺，从书架上拿出一
本武侠小说，一边看书，一边听
着随身听，一副悠然自得的样子。
萧风说，他的随身听是极品[4]，低音
下得去，高音上得来。听这样的随

1 罩: cover

2 口哨: whistle
e.g. 他会吹口哨。

3 乔丹: Michael Jordan

4 极品: highest grade; best quality
e.g. 这种茶是极品。

身听是一种享受……萧风有时把随身听借给我听,他说:"早上起得早,平时上床下床,给你添麻烦了。"

我笑了,说:"我们上下铺是缘分[1],咱们都是哥们儿[2]!"

我发现,萧风的磁带很杂,什么都有,有流行歌曲[3],有东北的二人转[4],也有英文歌。我说:"你最喜欢什么磁带?"他说:"其实听啥都无所谓[5]。晚上静,有个声音就行。"

听着随身听、躺着看武侠小说的萧风,有时他自己看着看着就笑了。他还常常在书上画画,

1 缘分: (superstition) predestined affinity or relationship; lot of luck by which people are brought together

2 哥们儿: (a friendly term of address for friends) pals
e.g. 他和我是哥们儿,我俩关系很好。

3 流行歌曲: popular songs

4 二人转: song-and-dance duet popular in Northeast China

5 无所谓: not care

xiě diǎn shén me　xiāo fēng duì wǒ shuō　　wǒ kàn shū
写 点 什 么。萧 风 对 我 说："我 看 书
shì cóng hòu wǎng qián kàn　nà cái yǒu yì si　　wǒ
是 从 后 往 前 看，那 才 有 意 思。"我
tīng le　jué de tā tǐng yǒu yì si　wǒ xiào le
听 了，觉 得 他 挺 有 意 思，我 笑 了。

　　zài sù shè li　xiāo fēng cóng lái bù gēn wǒ men
　　在 宿 舍 里，萧 风 从 来 不 跟 我 们
yí kuài chī fàn　zài lán qiú chǎng shang　xiāo fēng yě
一 块 吃 饭。在 篮 球 场 上，萧 风 也
hěn tè bié　xiāo fēng dǎ lán qiú de jì shù hěn hǎo　kě
很 特 别。萧 风 打 篮 球 的 技 术 很 好，可
shì měi cì lán qiú bǐ sài zhī hòu　xiāo fēng dōu gēn wǒ
是 每 次 篮 球 比 赛 之 后，萧 风 都 跟 我
bào yuàn　shéi dǎ qiú dǎ de tài chà　dǎ qiú bú dòng
抱 怨 [1]，谁 打 球 打 得 太 差，打 球 不 动
nǎo zi　jiù zhī dào tóu qiú
脑 子，就 知 道 投 球……

　　huí dào sù shè　xiāo fēng qù shuǐ fáng xǐ le xǐ
　　回 到 宿 舍，萧 风 去 水 房 洗 了 洗，
rán hòu jiù yào shàng chuáng le　　xiāo fēng shàng
然 后 就 要 上 床 了。萧 风 上
chuáng shì sù shè de yì jǐng
床 是 宿 舍 的 一 景 [2]！
　　xiāo fēng bǎ liǎng zhī xié tuō diào　xié jiān kào
　　萧 风 把 两 只 鞋 脱 掉，鞋 尖 靠
xié jiān　hòu gēn kào hòu gēn　fàng dào wǒ de
鞋 尖，后 跟 靠 后 跟，放 到 我 的
chuáng xià　rán hòu tā shuāng jiǎo zhàn zài dì
床 下。然 后 他 双 脚 站 在 地

1 抱怨: complain

2 景: scene

上，活动活动手指、手腕，背

靠着床站好，举起胳膊，反手抓

住床沿，喊声"起"，双脚弹

起，"噗"一下，坐在了上铺！

我们全服了！

萧风的爸爸是个瓦工[1]。每到

寒暑假，萧风都去帮爸爸干活。

萧风给爸爸当小工。爸爸干活

时，萧风站在梯子上，双手

端着灰盆[2]，举过头顶。他爸说：

"往左点。"萧风向左挪[3]。他

爸又说："再过来点！"萧风赶

忙从梯子上下来，把灰盆放

好，把梯子挪一挪，再爬上梯子，举

起几十斤重的灰盆。萧风举着灰

---

1 瓦工: bricklayer

2 灰盆: a container for mixing lime, cement and water

3 挪: move

^{pén} ^{bó zi suān} ^{gē bo téng} ^{yì tiān xià lái} ^{gē}
盆，脖子酸，胳膊疼。一天下来，胳
^{bo lèi de dōu méi yǒu zhī jué le} ^{xiāo fēng shuō} ^{wǒ}
膊累得都没有知觉了。萧风说："我
^{nà xì xì de xiǎo gē bo} ^{xiàn zài duàn liàn de gēn tuǐ}
那细细的小胳膊，现在锻炼得跟腿
^{chā bu duō yí yàng cū} ^{rén men dōu shuō gē bo nǐng}
差不多一样粗。人们都说胳膊拧
^{bu guò dà tuǐ} ^{wǒ kě shì lì wài} ^{dà jiā tīng le dōu}
不过大腿¹，我可是例外²。"大家听了都
^{xiào le}
笑了。

　　^{xiāo fēng tǎng zài shàng pù} ^{yǒu shí yě ná zhe}
　　萧风躺在上铺，有时也拿着
^{yīng hàn cí diǎn fān fan} ^{xué xí xué xí yīng yǔ}
英汉词典翻翻，学习学习英语。
　　^{rì zi yì tiān yì tiān de guò qù} ^{yí huàng}
　　日子一天一天地过去。一晃³，
^{bàn xué qī jiù yào guò qù le} ^{qī mò kǎo shì qián}
半学期就要过去了。期末考试前，
^{xiāo fēng jí de xiàng yì zhī lǎo shǔ} ^{dào chù gēn}
萧风急得像一只老鼠⁴，到处跟
^{tóng xué dǎ zhāo hu} ^{kǎo wán le} ^{fù xí zī liào}
同学打招呼：考完了，复习资料
^{bié rēng} ^{gěi tā liú zhe} ^{guǒ rán} ^{xiāo fēng yīng}
别扔，给他留着。果然，萧风英
^{yǔ méi jí gé} ^{xiāo fēng zài shàng pù tǎng le yì}
语没及格。萧风在上铺躺了一
^{tiān} ^{dà huǒr} ^{quàn tā} ^{méi shì} ^{kāi xué hòu}
天。大伙儿劝他："没事，开学后

1 胳膊拧不过大腿:
(fig.) Arm is no match
for the thigh — the
weaker can't contend
with the stronger.

2 例外: exception

3 一晃: (of time) pass
in a flash (without one
realizing it)
e.g. 一晃就是五年，
孩子都长这么大了。

4 老鼠: mouse

1 补考: make up ex-
aminations

2 常在河边走(站),哪
能不湿鞋: It is a say-
ing that it is hard for
one not to wet shoes
by standing near the
river. It implies that
certain activities carry
inherent risks.

3 拜年: pay a New
Year call

bǔ kǎo bei cháng zài hé biān zǒu nǎ néng bù
补 考 ¹ 呗 。 常 在 河 边 走 , 哪 能 不
shī xié
湿 鞋 ² 。"

dì èr tiān zǎo chen xiāo fēng gēn dà jiā
第 二 天 早 晨 , 萧 风 跟 大 家
shuō dà jiā gè kē dōu jí gé shèng xià wǒ gàn
说 : "大 家 各 科 都 及 格 , 剩 下 我 干
shén me ya
什 么 呀 ! "

dà jiā gè zì zhǔn bèi huí jiā le fàng hán jiǎ le
大 家 各 自 准 备 回 家 了 , 放 寒 假 了 。

guò chūn jié de shí hou xiāo fēng gěi wǒ dǎ lái
过 春 节 的 时 候 , 萧 风 给 我 打 来
diàn huà bài nián
电 话 拜 年 ³ 。

wǒ wèn nǐ nàr xià xuě le ma
我 问 : "你 那 儿 下 雪 了 吗 ? "

wǒ kàn zhe chuāng wài wài miàn xià zhe xuě
我 看 着 窗 外 , 外 面 下 着 雪 ,
duì miàn lóu dǐng bái le
对 面 楼 顶 白 了 。

xiāo fēng zài diàn huà li xiào le shuō wǒ
萧 风 在 电 话 里 笑 了 , 说 : "我
zhèr yě xià le bú guò xià de bú dà
这 儿 也 下 了 , 不 过 下 得 不 大 。"

wǒ shuō zài jiā máng bu máng
我 说 : "在 家 忙 不 忙 ? "

xiāo fēng shuō máng zhe guò nián bù guǎn
萧 风 说 : "忙 着 过 年 。不 管

zěn me yàng　 rì zi yě děi guò ya
怎么 样 ，日子也得过呀！".

　　wǒ shuō　　xiōng di　　yīng yǔ jiā yóu　ya
　　我 说 :" 兄 弟¹，英语加油²呀，
bǔ kǎo zài bù jí gé　 kě yào jiàng jí　le　 rú guǒ
补考再不及格，可要 降级³了。如果
nà yàng de huà　 nǐ jiù bù néng shuì zài wǒ de shàng
那 样 的话，你就不 能 睡在我的 上
pù　le
铺了。"

　　　shuāng fāng chén mò le　yí huìr
　　　双 方 沉默了一会儿。

　　wǒ shuō　　méi shì guà ba　dǎ cháng tú diàn
　　我 说 :" 没事挂吧，打 长 途电
huà tǐng guì de　duì le　gěi nǐ fù mǔ dài hǎo
话 挺 贵的。对了，给你父母带好。"

　　xiāo fēng jí qiè de shuō　　wǒ de xué xí yí
　　萧 风 急切地说 :" 我的学习一
dìng néng shàng qù　 zán men xiōng di de yuán fen
定 能 上 去！咱们 兄 弟的 缘 分
duàn bu liǎo
断 不了！"

　　wài miàn de biān pào　xiǎng le　 yòu shì yì
　　外 面 的 鞭 炮⁴ 响 了，又是一
nián le
年 了。

1 兄弟: brother, broth-
erhood

2 加油: make an extra
effort

3 降级: degrade

4 鞭炮: firecrackers

This story is an abridged version of Xie Jingyuan's short story 校园
三曲 *published in* 小说月报, *No.10, 1999.*

About the Author Xie Jingyuan (谢竞远):

Xie Jingyuan is a youth writer in China. At present he is the vice-editor of 小学生优秀作文选. He has published a variety of short stories and essays. 校园三曲 was published in 1999, when he was a senior student at Shenyang Normal University.

思考题:

1.老六
① 老六的家庭情况怎样?
② 大学给了老六什么样的帮助? 对校报登他的文章和老五送给他鞋这两件事,老六是怎么看的? 他的心情怎样?
③ 他对爱情和工作的看法是什么?
④ 他对家人的感情怎么样?
⑤ 故事中的"我"和老六的关系为什么特别亲?
⑥ 你是怎样体会一个来自农村大学生的内心感情的?

2.竞选
① 康凯("我")为什么要参加三好学生的竞选?
② 康凯在竞选之前做了什么准备工作?
③ 最后,康凯在竞选中输了。你是怎么看这件事的?

3.上铺

① 　萧锋为什么喜欢睡上铺?

② 　萧风在上铺经常做什么?

③ 　故事中的"我"和萧风的关系怎么样? 请举例说明。

责任编辑：傅　眉
英文编辑：郭　辉
封面设计：古　手
插　图：古　手
印刷监制：佟汉冬

图书在版编目(CIP)数据

汉语分级阅读 2/ 史迹编著.–北京：华语教学出版社, 2007
ISBN 978–7–80200–375–0

I.汉… II. 史 … III.汉语 – 阅读教学 – 对外汉语教学 – 自学参考资料
IV. H195.4

中国版本图书馆 CIP 数据核字(2007)第 140948 号

汉语分级阅读 2

史迹 编著

*

©华语教学出版社
华语教学出版社出版
(中国北京百万庄大街 24 号 邮政编码 100037)
电话:(86)10–68320585
传真:(86)10–68326333
网址:www.sinolingua.com.cn
电子信箱:hyjx@ sinolingua.com.cn
北京外文印刷厂印刷
中国国际图书贸易总公司海外发行
(中国北京车公庄西路 35 号)
北京邮政信箱第 399 号 邮政编码 100044
新华书店国内发行
2007 年(32 开)第一版
(汉英)
ISBN 978–7–80200–375–0
9–CE–3847P
定价:42.00 元